D0586804

L'AFFAIRE MICHAUD

Gaston Deschênes

L'Affaire Michaud

Chronique d'une exécution parlementaire

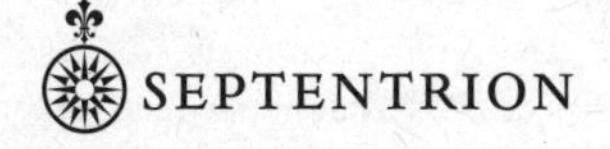

Pour effectuer une recherche libre par mot-clé à l'intérieur de cet ouvrage, rendez-vous sur notre site Internet au www.septentrion.qc.ca

Les éditions du Septentrion remercient le Conseil des Arts du Canada et la Société de développement des entreprises culturelles du Québec (SODEC) pour le soutien accordé à leur programme d'édition, ainsi que le gouvernement du Québec pour son Programme de crédit d'impôt pour l'édition de livres. Nous reconnaissons également l'aide financière du gouvernement du Canada par l'entremise du Programme d'aide au développement de l'industrie de l'édition (PADIÉ) pour nos activités d'édition.

Révision : Solange Deschênes
Correction d'épreuves : Sophie Imbeault
Mise en pages et maquette de couverture : Pierre-Louis Cauchon

Si vous désirez être tenu au courant des publications
des ÉDITIONS DU SEPTENTRION
vous pouvez nous écrire par courrier,
par courriel à sept@septentrion.qc.ca,
par télécopieur au 418 527-4978
ou consulter notre catalogue sur Internet :
www.septentrion.qc.ca

1300, av. Maguire
Québec (Québec)
G1T 1Z3

Dépôt légal :
Bibliothèque et Archives
nationales du Québec, 2010
ISBN papier : 978-2-89448-632-0
ISBN PDF : 978-2-89664-588-6

Diffusion au Canada :
Diffusion Dimedia
539, boul. Lebeau
Saint-Laurent (Québec)
H4N 1S2

Ventes en Europe :
Distribution du Nouveau Monde
30, rue Gay-Lussac
75005 Paris

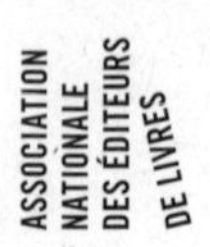

Membre de l'Association nationale des éditeurs de livres

Le danger de l'engagement politique est de se couler complètement dans le moule disciplinaire en abdiquant sa liberté de penser et en laissant le soin à quelques leaders de parler, de réfléchir et de respirer […].

YVES MICHAUD, *Je conteste !*, 1969

Les députés qui agissent en collectivité ont parfois des comportements curieux, surtout quand ils agissent sur le coup de l'émotion. Et ç'a été le cas […]. On a fait un procès d'intention pour les mauvaises raisons.

JEAN-PIERRE CHARBONNEAU,
cité par *Le Devoir*, 15 janvier 2005

Ex falso sequitur quodlibet
(Du faux s'ensuit n'importe quoi)

Maxime médiévale

En guise de préface

JE LE DIS D'EMBLÉE : je ne suis pas ici[1] pour Yves Michaud. Je suis ici, en ce 29 avril 2001, parce que, le 14 décembre 2000, l'Assemblée nationale s'est comportée d'une manière inadmissible et répréhensible. En condamnant un supposé délit d'opinion, sans preuve, comme elle l'a fait, et sans audition, elle a commis une grave injustice. Je suis donc ici parce que l'injustice est haïssable et qu'elle doit être réparée.

Il se trouve que c'est notre ami Yves Michaud qui est la victime de cette injustice. Mais ce pourrait être n'importe qui d'autre. Ce pourrait être l'un de nous dans cette salle aujourd'hui, ou n'importe qui d'autre hors de cette salle. Quelle que soit la victime de l'injustice, il faut lui apporter notre soutien et notre aide. C'est par souci de justice que nous sommes « solidaires » d'Yves Michaud, comme nous devrions l'être de toute autre victime.

---

1. Allocution prononcée par Guy Rocher lors d'une assemblée de Solidarité Yves-Michaud le 29 avril 2001 et publiée dans *Le Devoir*, le 10 mai 2001, sous le titre « L'Assemblée nationale se doit de mériter notre respect ».

Il arrive que des tribunaux commettent des injustices. On parle alors d'« erreur judiciaire ». Et quand on découvre une erreur judiciaire, on s'emploie à la réparer. Le 14 décembre 2000, l'Assemblée nationale a commis une « erreur parlementaire ». Elle doit aussi la réparer. Ce n'est pas parce que l'Assemblée nationale est le législateur qu'elle est au-dessus de la justice. Elle doit avoir l'honnêteté et j'ose dire l'humilité de reconnaître son erreur et de la corriger.

Le geste à faire de sa part est d'autant plus important qu'il s'agit précisément de l'Assemblée nationale, de cette institution qui doit plus que toute autre mériter notre respect. C'est elle, en effet, l'Assemblée nationale, qui fait que notre État est démocratique. Dans toute dictature, il y a un pouvoir exécutif ; on trouve des tribunaux dans toutes les dictatures. Ce qui fait la différence entre la dictature et la démocratie, c'est la présence d'une Assemblée nationale élue par l'ensemble des citoyens. À ce titre, l'Assemblée nationale doit avoir notre respect, c'est-à-dire qu'elle doit mériter notre respect. Or, le 14 décembre 2000, l'Assemblée nationale ne s'est pas respectée elle-même. Elle a agi sur un coup de sang, d'une manière inacceptable, dans le sens le plus fort de ce terme. Elle a inconsidérément et injustement porté atteinte à la réputation d'un citoyen. Quand l'Assemblée nationale commet une telle erreur, c'est la démocratie qui est en déficit. Et pour mériter le respect que nous lui devons, l'Assemblée nationale se doit et nous doit de faire amende honorable.

Je suis un vieux professeur. J'enseigne depuis 50 ans. Cela explique que j'ai depuis longtemps acquis un grand respect pour l'ignorance. Elle m'a fait vivre, elle a fait vivre ma famille. L'ignorance des autres, celle des étudiants, celle de mes collègues, et surtout la mienne ! La maladie fait vivre le médecin et la chicane, l'avocat. Dans mon cas, ce fut l'ignorance. Mais je respecte l'ignorance qui se reconnaît et qui s'efforce de déchirer le voile qui l'enveloppe, de repousser ses frontières. Pas n'importe quelle ignorance !

Le 14 décembre 2000, l'Assemblée nationale a agi dans l'ignorance. Elle a condamné Yves Michaud sur la foi de renseignements partiels et partiaux, sans vérifier ses sources d'information et, comble d'incorrection, sans entendre l'intéressé. Si elle ne se corrige pas, si elle s'enfonce dans son erreur, l'Assemblée nationale passera de l'honnête ignorance à l'ignorance crasse, que le dictionnaire définit comme étant « grossière et dans laquelle on se complaît ». Ce ne sont pas seulement les chefs des trois partis qui sont en cause et qui portent une responsabilité particulière. C'est la députation tout entière, au complet, sans une seule dissidence, qui a agi dans l'ignorance et s'est rendue coupable de l'injustice commise.

En traitant depuis longtemps avec l'ignorance, j'ai aussi appris qu'il faut savoir distinguer la vraie ignorance de la fausse ignorance, l'honnête ignorance de l'ignorance hypocrite. Sous le couvert de l'ignorance, le geste de l'Assemblée nationale du 14 décembre 2000 n'était peut-être pas exempt d'hypocrisie. Toutes allégeances confondues, sous le couvert de la vertu, on barrait joyeusement la route à un député virtuel appréhendé, trop remuant et trop encombrant pour siéger dans l'enceinte nationale. La faute n'en est encore que plus grave, parce que l'institution démocratique de l'État s'est comportée d'une manière antidémocratique. Je ne m'attends pas à ce que l'Assemblée nationale reconnaisse son hypocrisie. Mais je lui demande au moins de réparer l'injustice engendrée par sa prétendue ignorance.

Je lisais ces jours derniers un grand roman qu'on ne lit plus, d'un grand romancier russe qu'on ne lit plus, Maxime Gorki. Dans sa *Vie de Klim Samguine,* Gorki raconte comment le jeune Klim, en plus de fréquenter l'école publique, avait chez lui un précepteur, comme c'était la pratique dans les milieux bourgeois de l'époque. À l'occasion, ce précepteur, Tomiline de son nom, ajoutait aux leçons de chose quelques leçons de vie. Il lui dit un jour : « On appelle métaux nobles ceux qui ne s'oxydent pas ou presque pas. Remarque-le, Klim : les hommes nobles et fermes d'esprit ne s'oxydent pas non plus, c'est-à-dire ne se laissent pas abattre par les coups du destin, du malheur. » Eh bien, Yves Michaud ne s'est pas laissé abattre, il n'a pas plié l'échine. Il nous a donné l'exemple du courage dans l'adversité. Il appartient aux « métaux nobles » ! Je lui rends cet hommage.

Le même précepteur dit encore à Klim : « Une invention utile s'énonce sous une forme interrogative, conjecturale : peut-être est-ce ainsi ? On admet d'avance, honnêtement, qu'il peut ne pas en être ainsi. Les inventions nuisibles ont toujours une forme affirmative : c'est ainsi et non autrement. De là, les erreurs, les fautes… Oui. » Le 14 décembre 2000, l'Assemblée nationale ne s'est pas interrogée, elle ne s'est pas demandé s'il pouvait ne pas en être ainsi. Elle a été unanimement affirmative : « C'est ainsi et pas autrement, Yves Michaud est coupable, oui. » Cette unanimité inhabituelle, c'en était même suspect ! L'Assemblée nationale s'est inventé un Yves Michaud, autre que celui qui est le vrai, pour pouvoir le condamner. Elle a produit « une invention nuisible ».

Nuisible pour Yves Michaud. Dans les *Sentences* de Publilius Lochius, qui vécut au Ier siècle avant notre ère, on peut lire : « Le mal qu'on dit de vous, même en riant, vous nuit. » Le 14 décembre, l'Assemblée nationale ne riait pas, elle se prenait même très au sérieux, pour faire son « invention nuisible ». Une invention dont hélas ! Yves Michaud paiera longtemps le prix.

Nuisible aussi, cette invention, pour l'Assemblée nationale elle-même. Je lis une autre sentence du même Publilius Lochius : « À frapper l'innocent, un juge se condamne. » Le 14 décembre, l'Assemblée nationale s'est muée en juge, pour frapper l'innocent. Ne s'est-elle pas condamnée ?

Nuisible enfin pour la démocratie québécoise, cette fois blessée par sa plus haute instance, donc nuisible pour nous tous, citoyens du Québec. Alors qu'elle croyait condamner Yves Michaud, l'Assemblée nationale s'est condamnée elle-même et fait un grave accroc à notre démocratie québécoise.

Pour ces raisons tout au moins, je me joins à tous ceux qui, solidaires d'Yves Michaud, appellent l'Assemblée nationale à se réhabiliter en effaçant son « invention nuisible ».

Guy Rocher, sociologue,
Centre de recherche en droit public,
Université de Montréal.

Introduction

L'histoire n'est pas un objet juridique. Dans un État libre, il n'appartient ni au Parlement ni à l'autorité judiciaire de définir la vérité historique.

Association Liberté pour l'histoire, 12 décembre 2005

Quelques messages téléphoniques m'attendaient, en fin de journée, le 14 décembre 2000. Deux ou trois journalistes me cherchaient, et je compris qu'il s'était passé quelque chose d'inhabituel au Parlement. Pour les fonctionnaires de l'Assemblée nationale, l'événement du jour était la mise en place d'un nouveau plan d'organisation administrative (POA) qui avait entre autres particularités de m'inclure dans le cénacle des cadres supérieurs. Diverses activités, réunions et conversations, avec le président de l'Assemblée, mes nouveaux patrons et mes nouveaux collègues, avaient requis ma présence à l'extérieur de la nouvelle Direction des études documentaires. Mais la presse s'intéressait évidemment à autre chose.

Je ne me souviens plus à quel appel j'ai répondu en premier lieu mais il m'a permis d'apprendre l'essentiel de l'incident que j'avais raté : un citoyen avait été blâmé par la Chambre pour des propos sur les Juifs. J'étais abasourdi. S'il avait proféré des menaces contre un député, diffamé le Parlement, entravé le travail d'un fonctionnaire du Parlement, j'aurais eu une liste de précédents tirés d'une étude réalisée quelques années plus tôt sur les outrages et les privilèges parlementaires. Mon interlocuteur voulait évidemment savoir « si c'était la première fois que... »

Historien responsable de la recherche à la Bibliothèque de l'Assemblée nationale depuis plus de vingt ans, j'étais habitué à ces questions classiques, et embêtantes, sur les records et les précédents. Une attachée politique m'avait même déjà demandé, après un remaniement, si « son » ministre était celui qui était entré le plus vite dans des dossiers ! Les journalistes nous adressaient souvent ce genre de questions à caractère historique, et nous y répondions tout bonnement, mes collègues historiens et moi, sans en référer à nos supérieurs.

En dépit de l'insistance de mon interlocuteur, et de ma conviction profonde que le Parlement avait commis un geste étonnant, extraordinaire et sans précédent, je refusai de me prononcer sur-le-champ afin de procéder à des vérifications. Sans cette prudence, doublée d'un devoir de réserve, j'aurais peut-être battu moi-même un record, celui de la plus courte carrière de cadre à l'Assemblée nationale.

* * *

Pendant près de trente ans, j'ai eu l'occasion de contribuer à faire connaître le Parlement au moyen de livres, d'articles de revues et de conférences. J'ai participé, dans la mesure de mes moyens, au processus qui a permis de restaurer l'autonomie de l'Assemblée nationale, au début des années 1980, et de lui redonner la position qui lui revient dans nos institutions ; on partait de loin, dans les années 1970, elle était souvent ravalée au rang d'organisme « gouvernemental ». À plusieurs reprises, j'ai même eu l'impression de défendre cette institution avec plus d'insistance que les parlementaires eux-mêmes.

Mais, malgré tout le respect que j'avais pour l'Assemblée nationale, la motion du 14 décembre 2000 m'a carrément indigné. J'ai suivi attentivement ce qui est devenu l'affaire Michaud au cours des années suivantes et encore après ma retraite, quand l'affaire s'est progressivement éteinte, à mesure que le temps passait et que les tribunaux rejetaient les requêtes et les pourvois : la motion du 14 décembre est demeurée une tache dans l'histoire parlementaire, au même titre que la loi rétroactive qui a permis l'emprisonnement du journaliste Roberts en 1922. Et contrairement à l'affaire Roncarelli[1], qui

1. En 1946, Frank Roncarelli avait payé le cautionnement de plusieurs Témoins de Jéhovah arrêtés pour avoir distribué une brochure et Maurice Duplessis, premier ministre et procureur général du Québec, avait fait révoquer le permis de vente

impliquait cependant le premier ministre, les tribunaux n'ont pu la corriger.

À l'approche du dixième anniversaire de cet événement sans précédent, le temps paraît propice pour rappeler à ceux et celles qui ne s'en souviennent plus, et aux autres qui voudraient qu'on l'oublie, qu'un citoyen a été « condamné pour ses idées [...] et ce, sans appel et [...] exécuté sur la place publique sans, d'une part, avoir eu la chance de se défendre et, d'autre part, sans même que les raisons de sa condamnation aient préalablement été clairement exposées devant ses juges, les parlementaires ».

* * *

Pour savoir à qui est empruntée cette citation, il faudra lire cet ouvrage qui ne prétend évidemment pas épuiser le sujet. Il aurait fallu, pour ce faire, rencontrer les nombreux acteurs de l'affaire, ce qui représente un travail d'une tout autre envergure. Il aurait fallu aussi avoir accès à des archives qui sont presque mieux protégées que celles du Vatican. Pour étudier l'affaire Michaud, les archives de l'Assemblée nationale offraient théoriquement le fonds Jean-Pierre Charbonneau, président de 1996 à 2002, mais les demandes d'accès à certains dossiers se sont heurtées aux dispositions de la loi dite « d'accès à l'information », dispositions interprétées avec une

---

d'alcool de ce restaurateur montréalais qui a eu gain de cause en Cour suprême en 1959.

prudence extrême et une volonté de protéger les droits de la personne qui contraste avec le sort réservé à Yves Michaud. Une fois expurgés de toute correspondance (lettres, mémos, avis, etc.), les dossiers accessibles ne contenaient plus que des coupures de presse et, ironiquement, UNE lettre que j'avais moi-même envoyée à monsieur Charbonneau en 2005…

Cet essai exprime davantage le point de vue du citoyen que celui de l'historien, vu le manque de recul. Il raconte et essaie d'expliquer l'affaire Michaud en s'appuyant essentiellement sur des documents publics (le *Journal des débats*, la transcription de déclarations et de conférences de presse, des lettres ouvertes et des textes d'opinion) et une masse considérable de coupures de presse (reportages, analyses, éditoriaux et chroniques), avec les dangers que cela comporte. Si les acteurs de cette triste affaire réagissent, les historiens en bénéficieront plus tard.

Un piège à ours ?

Le Québécois dit de souche est, paraît-il, facilement envahi par un sentiment de culpabilité. Il est porté à s'excuser quand on lui marche sur les pieds. Il sait qu'il dérange avec son rêve de construire une société distincte. Ses ennemis connaissent son malaise, son sentiment de culpabilité. Ils en profitent. L'astuce est habile qui consiste à lui faire croire qu'il est peut-être antisémite, peut-être même certainement, insinue-t-on. Astuce encore plus habile qui consiste à laisser planer le soupçon d'antisémitisme sur un porte-parole du rêve québécois. Et le succès de la manœuvre devient total quand l'Assemblée nationale responsable de défendre l'honneur québécois tombe dans ce grossier piège à ours. Quelle tristesse !

LOUIS O'NEIL, *Le Devoir*, 19 décembre 2000

Nous n'avons pas joué de tour à personne. Et M. Bouchard a répondu avec beaucoup de spontanéité.

JEAN CHAREST, cité par *Le Devoir*, 18 décembre 2000

On n'a jamais demandé un vote de blâme à l'Assemblée nationale ; tout cela nous a étonnés énormément.

ROBERT LIBMAN, directeur régional de B'nai Brith. Cité par Georges Boulanger dans *Voir*, 1er mars 2001

La période des questions est certainement le segment le plus connu des débats parlementaires. Les journalistes en tirent généralement l'essentiel de leurs reportages sur les travaux de l'Assemblée nationale et les citoyens s'y intéressent plus qu'à tout autre débat car les échanges y sont souvent vigoureux et fébriles, parfois « virils », et surtout extrêmement partisans.

Ce n'est pas un modèle de travail exemplaire mais bien plutôt un affrontement entre deux gangs qui lancent leurs « champions » à tour de rôle dans des combats singuliers. Le mot d'ordre est « frapper d'abord et poser les questions après ». Un long préambule noircit donc la situation (et l'adversaire) le plus possible. Les ministres se débrouillent ensuite pour esquiver les questions ou blâmer ceux qui les posent, leurs collègues, amis, associés ou prédécesseurs, voire leurs parents. L'exercice donne évidemment des questions dont on connaît d'avance l'absence de réponse et des réponses qui ignorent la question.

Selon le règlement de l'Assemblée, les questions « doivent être brèves » (!) mais un « court préambule est permis pour les situer dans leur contexte » (!!). Les questions ne peuvent « 1° comporter ni expression d'opinion ni argumentation ; 2° être fondées sur des suppositions ; 3° viser à obtenir un avis professionnel ou personnel ; 4° suggérer la réponse demandée ; 5° être formulées de manière à susciter un débat » (!!!). Bien malin qui reconnaîtrait là ce qui se passe en réalité au Parlement. De dérives en tolérances, on est arrivés à un point où le président de l'Assemblée suggéra, en 1997, de changer ces règles pour « les rendre plus conformes à la réalité[1] », le changement des comportements étant devenu impossible.

Une question *plantée* ?

Le 14 décembre 2000, le chef de l'Opposition officielle, Jean Charest, amorce le premier duel du jour avec une question qui n'a pas de point d'interrogation, mais qui n'en demande pas moins un avis, tout en suggérant une réponse. Une véritable question *plantée*[2].

> M. le Président, ma question s'adresse au premier ministre, et c'est à regret aujourd'hui que je soulève une affaire qui ne devrait pas être soulevée, en l'an 2000, à l'Assemblée nationale du Québec, sauf que, hier, devant les États généraux sur la langue, un ancien député de surcroît de l'Assemblée nationale, un ancien délégué général du Québec à Paris, un candidat à l'investiture du Parti québécois dans le comté de Mercier, M. Yves Michaud, a tenu des

---

1. *Réforme parlementaire, proposition du président de l'Assemblée nationale, Jean-Pierre Charbonneau*, 10 décembre 1997.
2. Dans le jargon parlementaire, une question *plantée* est une question inoffensive posée par un député de la majorité pour permettre à un ministre de se mettre en valeur.

propos qui sont de toute évidence inacceptables, qui ne laissent aucune place à l'interprétation non plus.

Et, pour reprendre brièvement ce qu'il a dit hier devant la Commission, il parlait de vote ethnique contre la souveraineté du peuple québécois, des mots qui résonnent encore aujourd'hui suite aux déclarations de l'ancien premier ministre Parizeau. Il a même ajouté, en parlant de B'nai Brith, extrémistes, il parlait d'un mouvement d'extrémistes antiquébécois et antisouverainistes[3].

Alors, je fais appel aujourd'hui au premier ministre et je fais appel à celui qui est non seulement président du Parti québécois, mais également chef du gouvernement, qui a des responsabilités qui accompagnent également ces deux titres, et qui, je pense, aujourd'hui doit nous dire si, oui ou non, il approuve les déclarations faites par une personne qui est candidate à l'investiture du Parti québécois dans le comté de Mercier et s'il va sur-le-champ nous informer qu'il n'est pas question qu'il accepte qu'une personne qui tient de tels propos, qui les réitère, qui n'exprime aucune nuance dans ce qu'il avance ni aucun regret, s'il va nous informer dès aujourd'hui qu'il n'est pas question pour lui d'accepter ni ces propos ni la candidature de M. Michaud à titre de candidat pour l'investiture de son parti dans le comté de Mercier.

3. On verra plus loin que Michaud n'a rien dit de tel dans son témoignage aux États généraux.

Le personnage ciblé par le chef de l'Opposition était un militant archiconnu de son parti, mais le premier ministre Lucien Bouchard ne pouvait prendre sa défense sans risquer de voir sa formation encore accusée de xénophobie, d'ethnocentrisme, etc.

> M. le Président, je suis en total désaccord avec les propos tenus hier par M. Michaud. Et je les déplore, je les condamne et je m'en dissocie totalement. Je rappellerai [...] que M. Michaud, il y a trois jours, avait tenu des propos similaires qui ont été portés à ma connaissance par voie d'un communiqué. Je m'en suis dissocié immédiatement et j'ai exprimé le souhait que M. Michaud profite d'une prochaine occasion pour pondérer ses déclarations ; et j'ai constaté hier qu'il en a remis. Alors, je n'ai aucune hésitation à dire, au nom de mon parti, au nom du gouvernement, de la députation ministérielle, de tous les Québécois et les Québécoises, que nous rejetons ces propos.

Le chef de l'Opposition officielle avait ferré une prise qui ne manifestait aucune combativité ; il n'avait qu'à poursuivre la manœuvre :

> Il y a la question de la candidature maintenant de M. Michaud. Puisqu'il se dissocie totalement de ces propos, [...] je pense qu'il incombe maintenant au premier ministre, dans l'exercice de ses responsabilités, de son devoir, de très lourdes responsabilités, de dire aux Québécois et Québécoises qu'une candidature

comme celle de M. Michaud, avec les propos qu'il a tenus, devient donc inacceptable pour son parti.

Et, M. le Président, c'est non seulement le premier ministre du Québec qui est interpellé lorsqu'une affaire comme celle-là se présente, c'est l'ensemble des députés de l'Assemblée nationale qui doivent, je crois, parler. Et, pour cette raison-là, on a proposé une motion qui, nous l'espérons, sera à la fois présentée par le député de D'Arcy-McGee [Lawrence Bergman, Parti libéral] mais secondée, puisque c'est devenu un précédent, par le député de Sainte-Marie–Saint-Jacques [André Boulerice, Parti québécois], une motion qui se lirait comme suit: «Que l'Assemblée nationale dénonce sans nuance, de façon claire et unanime, les propos inacceptables à l'égard des communautés ethniques et, en particulier, à l'égard de la communauté juive tenus par Yves Michaud à l'occasion des audiences des États généraux sur le français à Montréal le 13 décembre 2000.» Fin de la motion, M. le Président, et si le premier ministre peut nous confirmer que M. Michaud ne sera ni candidat, et qu'il acceptera qu'on débatte et qu'on vote sur la motion qui sera proposée après la période de questions.

Le premier ministre Bouchard aurait pu puiser dans le répertoire des esquives classiques pour se sortir honorablement de l'engagement mais il accepte plutôt sans hésiter la proposition du chef de l'Opposition officielle avec «beaucoup de spontanéité[4]» comme le dira plus tard ce dernier:

4. *La Tribune* et *Le Devoir*, 18 décembre 2000.

> Le texte de cette motion conjointe des députés de Sainte-Marie–Saint-Jacques et de D'Arcy-McGee a été porté à ma connaissance tout à l'heure. Je l'appuierai totalement, de même que toute la députation ministérielle, lorsqu'elle sera présentée tout à l'heure. Je ne crois pas qu'on ait prévu un débat ; enfin, les leaders s'en parleront.

Le premier ministre ajoute cependant que les questions relatives aux investitures relevaient de « la juridiction des instances appropriées » et le chef de l'Opposition n'insiste pas. Il avait remporté deux manches sur trois, presque par défaut. Ou par abandon. Un exploit inhabituel à la période des questions.

La motion

La période des questions débute ce matin-là vers 10 h 15 et se termine au terme des 45 minutes réglementaires. Viennent ensuite les motions sans préavis, qui portent le plus souvent sur des questions non litigieuses (félicitations, condoléances, appui à de bonnes causes, etc.), des motions de circonstances qu'on peut adopter si tous les députés présents acceptent de déroger à la règle habituelle, soit un préavis de 24 heures.

Vers 11 h, c'est Lawrence Bergman, membre éminent de la communauté juive de Montréal, récipiendaire, en 1999, du prix Jérusalem offert par l'Organisation sioniste mondiale et la Fédération sioniste canadienne (région de l'Est), qui se lève pour présenter la motion annoncée par le chef de l'Opposition à la période des questions :

> M. Bergman [député de D'Arcy-McGee] : M. le Président, une motion sans préavis. « Que l'Assemblée nationale dénonce sans nuance, de façon claire et unanime, les propos inacceptables à l'égard des communautés ethniques et, en particulier, à l'égard de la communauté juive tenus par Yves Michaud à l'occasion des audiences des États généraux sur le français à Montréal le 13 décembre 2000 ». Signé du député de D'Arcy-McGee et du député de Sainte-Marie–Saint-Jacques.
>
> Le Président [Charbonneau] : Bien. Est-ce qu'il y a consentement pour d'abord débattre de la motion ? Adopté sans débat ? M. le leader de l'Opposition officielle.
>
> M. [Pierre] Paradis : Oui, sans débat, M. le Président, compte tenu que le texte parle par lui-même et qu'il est présenté par des parlementaires de part et d'autre de l'Assemblée nationale. Maintenant, compte tenu des circonstances, il y aurait lieu de procéder par un vote par appel nominal.

À 11 h 10, l'affaire était réglée, votée à l'unanimité des 109 députés présents, un 110e étant allé « prendre une marche » (selon l'expression de Gérard D. Levesque), pour ne pas enfreindre publiquement la discipline de parti. Il avait fallu moins d'une heure pour accuser, « juger » et condamner un citoyen pour délit d'opinion.

On n'a jamais su exactement qui a pris l'initiative de cette motion. Les deux parrains officiels ne l'ont sûrement pas conçue sans l'approbation de leurs chefs respectifs et pourraient bien avoir été des prête-noms plus ou moins « volontaires ». Chose certaine, le premier ministre n'a pas été surpris. Il connaissait la teneur de la motion avant d'entrer en chambre. Son leader parlementaire aussi, naturellement, car ces « initiatives » sont toujours négociées au préalable, et mises en scène. « Ça s'est décidé dans les dernières minutes avant d'aller en chambre », précise plus tard la vice-présidente du Parti québécois[5]. Bref, le premier ministre n'a pas sauté à pieds joints dans un « piège à ours » ; ce sont les députés qui ont été poussés dedans sans préavis.

Une urgence ?

Où était l'urgence ? Le Parlement était-il « condamné à réagir rapidement », comme l'a prétendu plus tard le leader de l'Opposition officielle[6] ?

> Personne ne songe à demander si les propos rapportés sont exacts, écrira plus tard Jean-Pierre Charbonneau[7],

5. Marie Malavoy dans *La Tribune* le 18 décembre 2000.
6. Commission permanente de l'Assemblée nationale, 30 août 2001.
7. *À découvert*, Montréal, Fides, 2007, p. 251.

> ou dans quel contexte ils ont été prononcés. De mon côté, un peu saisi, je n'ai malheureusement pas le réflexe de mettre en garde mes collègues contre cette grave condamnation d'un honorable citoyen. Tout va très vite, aucun appel au règlement n'est fait [...].

La vérité est que la manœuvre n'aurait pas survécu à 24 heures de réflexion, soit la procédure normale pour toute motion de fond à l'Assemblée nationale. Michaud aurait évidemment protesté, la presse aurait demandé de voir les propos incriminés, l'opinion publique aussi, certains députés ministériels se seraient peut-être *dégênés*, quelqu'un aurait peut-être allumé un feu jaune dans l'entourage du président de l'Assemblée nationale, ou du secrétaire général, les conseillers en droit parlementaire auraient potassé leurs ouvrages de doctrine et les historiens de la maison, leurs archives et les précédents.

En somme, il fallait procéder rapidement. Quelqu'un, dans les tribunes, dans la chambre, au fauteuil ou autour de la table, aurait pu soulever ce que les chefs n'auraient pas voulu entendre : le doute.

L'homme à abattre

Il a payé de sa personne, il n'a pas hésité à se « salir les mains » : l'action politique, le journalisme de combat, la haute fonction publique, la défense des humbles et la voix des hommes sans voix. Il a analysé, exposé, défendu tour à tour et parfois simultanément dans le cadre national et sur le plan international, des idées et des causes qui lui paraissaient résumer les périls ou les risques de dérive de l'époque et porter les espoirs des hommes de notre temps.

JEAN-MARC LÉGER, dans *Paroles d'un homme libre*, 2000 (introduction)

Bouchard would have to keep an eye out for Michaud both in the Assembly and in the PQ caucus during a language debate. Michaud can speak passionately on the subject. And he is especially dangerous because if he goes into active politics at age 70, it will be in pursuit of a cause, not a career as a cabinet minister, which will make him less susceptible to pressure to knuckle under to the boss.

DON MACPHERSON, *The Gazette*, 12 décembre 2000

Qui était donc ce citoyen et quel danger incarnait-il pour attirer ainsi les foudres soudaines de l'Assemblée nationale ?

Yves Michaud est né à Saint-Hyacinthe où son père était agent d'assurances. Après des études commerciales à l'Académie Girouard, il entre au service du journal *Le Clairon*, une institution maskoutaine propriété du non moins fameux Télesphore-Damien Bouchard, qui en avait fait un instrument de lutte contre son concurrent conservateur, *Le Courrier*. Sénateur libéral, franc-maçon, antinationaliste, le « diable de Saint-Hyacinthe[1] » avait donné à son journal une couleur qui ne manqua pas de déteindre sur le jeune journaliste.

Journaliste

Entré au journal à 21 ans, Yves Michaud en devient rapidement rédacteur en chef. « Il était déjà flamboyant, se souvient un ancien collègue Pierre Bornais[2]. Très bien articulé, M. Michaud a utilisé à plein ses capacités de communicateur. » En 1958, *Le Clairon* (devenu *Le Clairon maskoutain* en 1954) remporte le titre de meilleur hebdomadaire de langue française au Canada. L'année suivante, Yves Michaud obtient une bourse du Conseil des arts

1. Frank Myron Guttman, *The Devil from Saint-Hyacinthe : Senator Télesphore-Damien Bouchard, A Tragic Hero*, iUniverse Books, New York, 2007, 405 p.
2. Cité par *La Presse*, 13 janvier 2001.

pour aller étudier au Centre international d'enseignement supérieur du journalisme de Strasbourg où il prépare une thèse sur la presse de province au Canada français. Peu après son retour, il passe à *La Patrie* où il occupe les fonctions de directeur et de rédacteur en chef jusqu'en 1966. Sous sa gouverne, cet hebdomadaire est rajeuni et renoue avec le libéralisme de ses origines[3].

Ces années de journalisme lui valent plusieurs marques de reconnaissance. Il obtient le prix du meilleur reportage de l'Association des hebdomadaires de langue française du Canada (1957) et, à deux reprises, le prix du meilleur éditorial de l'Union canadienne des journalistes de langue française (1962-1963). Une anthologie publiée en 2005, *Les raisons de la colère* (Fides, 2005), consacre un long chapitre à ces quinze années de journalisme au *Clairon* et à *La Patrie*.

> On y découvre, écrit Jean-Claude Picard[4], un jeune homme énergique et passionné qui a soif de liberté et de justice sociale dans un Québec alors étouffé sous l'obscurantisme de Duplessis. Écrits dans une langue remarquable, les articles tombent drus, tantôt pour dénoncer la collusion entre l'Église et le vieux chef de l'Union nationale, tantôt pour saluer le courage des grévistes de Murdochville,

---

3. *La presse québécoise des origines à nos jours*, tome deuxième : *1860-1879*, Québec, PUL, 1975, p. 289.
4. *Le Devoir*, 9 avril 2005.

souvent enfin pour traiter de l'évolution du Québec et souhaiter une réforme du fédéralisme qui ne vient jamais.

Député

En 1966, Yves Michaud décide de sauter dans le train de la Révolution tranquille et de se présenter, sous la bannière libérale, dans la circonscription montréalaise de Gouin. Malheureusement pour lui, c'est le « serre-freins de la Révolution tranquille[5] », comme il se plaira à désigner plus tard Daniel Johnson, qui prend le pouvoir. Michaud se retrouve donc dans l'opposition avec un ancien chroniqueur du *Clairon*, René Lévesque, et un autre futur premier ministre, membre de la cuvée 1966, Robert Bourassa.

Le journaliste n'a cependant pas rangé sa plume. Il continue de collaborer au *Clairon* et fournit à la revue *Sept Jours* des chroniques qui seront réunies dans un recueil intitulé naturellement *Je conteste !* (Éditions du Jour, 1969). Yves Michaud écrit sur des thèmes que peu de députés en exercice aborderaient publiquement aujourd'hui, par crainte d'être mis en contradiction avec le programme du parti ou d'enfreindre les règles du *boy's club*. Ou simplement par manque de talent.

---

5. *Sept Jours*, 13 mai 1968.

Un de ses thèmes privilégiés est justement le Parlement, le rôle du député et ses rapports avec son parti.

> Le vice du régime, écrit-il en avril 1968[6], c'est qu'il condamne presque irrémédiablement les députés ministériels et oppositionnistes à la médiocrité et à l'incapacité. La toute-puissance de l'Exécutif, l'initiative des lois qui revient à toutes fins utiles au cabinet, le prestige victorien dont se nourrissent les ministres, la discipline de parti qui est un élément vital de la stabilité gouvernementale, tous ces facteurs concourent à faire des députés les invalides permanents de la société parlementaire.

Ailleurs, il demande qu'on mette fin au temps « des eunuques et des castrés politiques » en mettant des ressources à la disposition des députés et en créant des commissions parlementaires « disposant de budgets précis et d'une relative autorité ». Pour le député Michaud, « au lieu de convier les groupes et les coalitions d'intérêts à peser davantage sur les décisions politiques, il serait peut-être préférable d'inviter les élus du peuple à une participation plus large aux affaires publiques ». Il est bien conscient toutefois de s'attaquer aux « tabous du régime parlementaire britannique[7] ».

---

6. *Je conteste !*, Montréal, Éditions du Jour, 1969, p. 71.
7. *Ibid.*, p. 50-51.

La quatrième de couverture du recueil publié en janvier 1969 rappelle que l'auteur « se classe difficilement dans le rang des inconditionnels de la politique partisane ». Michaud a l'occasion de le démontrer quand le gouvernement unioniste de Jean-Jacques Bertrand dépose un projet de loi « pour promouvoir [!] l'enseignement de la langue française au Québec » le 23 octobre 1969. Le « bill 63 » propose d'accorder aux parents le libre choix de la langue d'enseignement. Il suscite de vives réactions à l'extérieur du Parlement mais les députés libéraux décident de s'en accommoder, tous sauf un. Le 31 octobre, le député de Gouin quitte son parti et devient indépendant. Dans la soirée, la colline parlementaire connaît la plus importante manifestation de son histoire. Quelques jours plus tard, deux députés unionistes, Jérôme Proulx et Antonio Flamand, imitent Michaud et le rejoignent dans une « opposition circonstancielle » qui comprendra aussi un député unioniste récemment converti en créditiste (Gaston Tremblay) et René Lévesque, indépendant depuis 1967 et plus familier que les autres avec la procédure parlementaire. Ces dissidences étonnent dans un Parlement qui n'en a pratiquement pas connues depuis une génération[8]. Pendant deux semaines,

8. Tellement peu courantes que des observateurs se demandent si c'est convenable. Céline Légaré, « Nos députés ont-ils le droit d'être contestataires ? », *Perspectives (Le Soleil)*, 4 avril 1970, p. 18-25.

les cinq résistants combattent farouchement cette initiative soutenue par l'Opposition officielle ; ils obtiennent quelques amendements mais ne peuvent en empêcher l'adoption le 20 novembre.

Commissaire général

Aux élections d'avril 1970, le Parti libéral reprend le pouvoir mais Yves Michaud est défait par Guy Joron. Compte tenu de la courte majorité de ce dernier (12 voix) et des 1109 bulletins rejetés, il aurait eu de bonnes chances de l'emporter après un recomptage mais il n'en demande pas, estimant que les résultats électoraux sont déjà suffisamment injustes pour le Parti québécois qui a 23 % des votes et seulement 6 % des sièges[9].

Robert Bourassa (que Michaud a été un des premiers à appuyer dans la course à la direction du Parti libéral) le recrute pour remplacer Guy Frégault à titre de commissaire général à la coopération du Québec avec l'extérieur. Rattaché au ministère des Affaires intergouvernementales, le commissaire général a « la responsabilité de la mise en application des ententes du gouvernement du Québec avec les gouvernements étrangers, de la préparation et de la réalisation des programmes et des politiques d'échanges du Québec avec

---

9. « Le cas de conscience de M. Yves Michaud », *Le Devoir*, 2 mai 1970, p. 10.

l'extérieur, ainsi que de la présence et de l'action culturelle du Québec hors de ses frontières[10] ». C'est une période faste : malgré les embûches (lire : les Affaires extérieures canadiennes), le Québec multiplie les bureaux et les délégations à l'étranger ; il obtient une voix dans la francophonie et marque des points, dont l'organisation de la Superfrancofête. Pendant ce temps, les convictions politiques d'Yves Michaud évoluent. En 1973, il démissionne pour se présenter aux élections générales, sous la bannière du Parti québécois, dans la circonscription de Bourassa, mais il est de nouveau battu le 29 octobre.

De nouveau journaliste, délégué du Québec

C'est au soir de ce scrutin, dans des conversations entre René Lévesque, Yves Michaud et Jacques Parizeau, que germe l'idée d'un quotidien souverainiste. « Ce journal sera indépendantiste, social-démocrate, national et libre », écrit Yves Michaud, directeur du *Jour*, lors de la première parution du quotidien le 28 février 1974. « C'était un homme d'une rigueur remarquable, rappelle le journaliste Gil Courtemanche[11]. Je me souviens l'avoir vu, un dimanche vers midi, passer le balai dans la salle de

10. Denis Vaugeois, « La coopération du Québec avec l'extérieur », *Études internationales*, 5, 2, 1974, p. 381.

11. Cité par André Duchesne, « Le parcours éclectique d'un homme libre », *La Presse*, 13 janvier 2001.

rédaction. Lorsque nos presses étaient en retard, il donnait un coup de main pour charger le camion. »

> Tous, nous avons dit non, à notre façon, au silence des pauvres et des sans-voix, à la soumission, à la religion perverse des intérêts, aux prédateurs d'un capitalisme sauvage, à l'égoïsme corporatif, au maintien de notre peuple dans un état permanent de minorité en déshérence, à une société sans partage et à l'infirmité d'une moitié d'État, dépouillé des indispensables attributs de la souveraineté[12].

« Pour lui, le journalisme devait demeurer un genre littéraire et non pasticher la langue de bois des fonctionnaires », ajoute Hélène Pelletier-Baillargeon, qui évoque aussi les risques financiers personnels pris par Michaud[13]. Ce dernier en retirera des prix de la National Conference of Media (1975) et du Cercle des journalistes de Montréal (1976) mais l'aventure s'avérera difficile. Le modèle de cogestion choisi par *Le Jour* entraîne des conflits entre la direction et la « société de rédacteurs ». Sur le plan de la publicité, *Le Jour* est victime d'un boycottage du gouvernement et des entreprises publiques. Il ferme ses portes le 24 août 1976, moins de trois mois avant la première victoire du Parti québécois.

---

12. *Les raisons de la colère*, p. 380.
13. *Paroles d'un homme libre*, Montréal, VLB, 2000, p. 151.

Manque de chance en 1976 : le Parti québécois prend le pouvoir mais Michaud n'est pas candidat. Le premier ministre Lévesque l'appelle cependant à ses côtés à titre de délégué auprès des organisations internationales et de conseiller diplomatique. En 1979, il est nommé délégué général du Québec à Paris où il se démarque de ses prédécesseurs en se situant ouvertement sur le terrain politique, sillonnant la France pour expliquer la souveraineté aux Français. Son rôle est déterminant dans le dossier Péchiney, le plus gros investissement en sol québécois par des Français. En 1984, Michaud revient au Québec avec le titre de commandeur de la Légion d'honneur. Il occupe, pendant trois ans, la fonction de président-directeur général de la Société du Palais des congrès de Montréal.

Le « Robin des banques »

Michaud se lance ensuite dans l'importation de vins fins en fondant la société Sélections Yves Michaud (1987) et il publie *La folie du vin* chez Libre Expression en 1991. Au début des années 1990, un revers financier le propulse dans un nouveau secteur de l'actualité. En mars 1993, Trustco général du Canada, propriété de l'Industrielle-Alliance, fait défaut de rembourser plus de deux mille petits prêteurs floués dans ce qui était alors l'une des plus grandes catastrophes financières dans l'histoire du Québec. Yves Michaud et son épouse font partie du groupe. La Banque nationale et sa filiale Lévesque Beaubien, qui avait vendu les débentures de Trustco à ses clients, renoncent, en bout de ligne, à leur part de l'actif liquidé au bénéfice des petits prêteurs. Il faut dire que la Banque nationale hérite, sans appel d'offres et à peu de frais, du Trust général, le joyau des actifs, grâce notamment à une contribution de 80 millions de dollars accordée par la Régie de l'assurance dépôts du Québec. Quant à l'institution qui portait la responsabilité première du fiasco, l'Industrielle-Alliance (alors dirigée par l'ancien ministre libéral Raymond Garneau et dont le président de Lévesque Beaubien, Pierre Brunet, est alors administrateur), elle fait main basse sur 13 millions de dollars des résidus de l'actif. Le combat de petits porteurs s'étire jusqu'en 2007, Revenu Québec menant une bataille perdue d'avance jusqu'en Cour suprême pour réclamer des impôts sur un capital nul, mais flairant ainsi une façon de se financer à peu de frais, à même les fonds dus aux petits investisseurs. Cette saga aura mis en lumière de nombreux travers du secteur financier québécois.

En juin 1993, Yves Michaud fonde une association (Trugecan, pour Trustco général du Canada) pour défendre les petits porteurs de débentures et, initié malgré lui aux mœurs douteuses du monde de la finance, il crée deux ans plus tard l'Association de protection des épargnants et investisseurs du Québec (APEIQ, devenu depuis le MÉDAC, Mouvement d'éducation et de défense des actionnaires). À partir de 1993, une décennie avant la vague de scandales financiers qui marqueront le début des années 2000, Yves Michaud utilise la plume et la parole pour dénoncer les travers des sociétés par actions, l'opacité des procédures, les salaires indécents et l'impunité des dirigeants, l'absence de contrôles et les autres zones d'ombre du système financier. La troisième partie du recueil qu'il publie en 2000, *Paroles d'un homme libre*, témoigne de l'étendue de ses dénonciations (taux d'intérêt usuraires, mondialisation, « financiarisation » du monde, etc.) mais il s'en prend surtout aux banques. Leur arrogance « confine au mépris et les petits actionnaires sont sans défense, sans voix et sans contrôle réel sur les affaires les concernant », confie-t-il au *Monde* qui lui consacre une page entière en 1999.

Yves Michaud porte lui-même des propositions de réforme aux assemblées générales des banques qui les traitent cavalièrement. En 1996, il pousse l'audace jusqu'à se présenter, sans avocat, devant la Cour supérieure pour demander *simplement* que la Banque royale du Canada et la Banque nationale respectent la loi et inscrivent les propositions des actionnaires dans la circulaire diffusée en vue de leurs assemblées annuelles. Les avocats des banques lui font subir un interrogatoire préalable d'une journée entière pour connaître ses intentions… Le 9 janvier 1997, la juge Pierrette Rayle lui donne raison et provoque une commotion dans le monde financier. En appel, les procureurs des banques sont déboutés séance tenante. Les médias saluent le triomphe de la « démocratie actionnariale » ; pour le chroniqueur judiciaire Yves Boisvert, c'est la victoire du « Robin des banques[14] ». Cette année-là, la Société Saint-Jean-Baptiste de Montréal le nomme « Patriote de l'année ».

Militant

Député sous Jean Lesage, proche collaborateur de ses amis Robert Bourassa et René Lévesque, Michaud avait retrouvé un bon contact en haut lieu quand Jacques Parizeau avait pris le pouvoir en 1994 et l'avait consulté sur les relations du Québec avec la France. Mais le départ de Parizeau et l'avènement de Lucien Bouchard changent ses rapports avec la direction du Parti québécois. Lévesque et Parizeau étaient des compagnons d'armes possédant de longs états de service, ce qui n'était pas le cas du nouveau chef qui tombait du ciel au terme d'un parcours politique sinueux. En quelques années, Lucien Bouchard avait été appelé dans le corps diplomatique sans passer par la filière de la fonction publique, élevé au cabinet sans être parlementaire et maintenant plébiscité chef d'un parti dont il n'avait jamais été membre.

14. *La Presse*, 10 janvier 1997.

Au congrès de 1996, Yves Michaud vote la confiance envers le président du parti, car il croit que « M. Bouchard peut amener une majorité de Québécois à voter en faveur de la prise en main de leurs affaires », mais il ne cachera pas ses désaccords, comme en témoignent les textes réunis dans *Paroles d'un homme libre, chroniques des années 1995-2000*, qui paraît au début de décembre 2000 chez VLB éditeur.

Les divergences portent entre autres choses sur le style de direction :

> J'ai peine à le dire, mais j'ai éprouvé un certain malaise en écoutant le discours de clôture de M. Bouchard à la fin du congrès de 1996. Les propos qu'il a tenus n'étaient ni rassembleurs ni propices à renforcer l'unité du parti. Le PQ n'a jamais été et ne sera jamais, contrairement aux autres partis politiques, un cénacle d'adoration mutuelle. Il faut faire et vivre avec. S'il devait changer, ce serait pour se renier, rendant ainsi le débat démocratique futile et sans substance. Ce n'est sûrement pas le but poursuivi par le premier ministre. S'il veut aller loin, ce que nous souhaitons avec lui, il devra ménager un peu plus sa monture[15].

Au fil des années, les points de friction s'accumulent. Il est évidemment en désaccord quand

15. Texte du 26 novembre 1996 reproduit dans *Paroles d'un homme libre*, p. 25-26.

Lucien Bouchard, sur « un coup de tête, sans mûre réflexion, sans consultation », ferme la moitié des bureaux et délégations du Québec à l'étranger. Avec les « purs et durs », Yves Michaud prône l'abrogation de la loi 86 sur la langue d'affichage. En 1999, il propose à l'assemblée annuelle du Parti québécois de Westmount que l'enseignement se donne en français jusqu'au cégep inclusivement. En mai 2000, il est de ceux qui tentent en vain d'amener le gouvernement à défendre des positions plus rigides en faveur du français, notamment lors des États généraux sur la langue. En août, il est parmi les signataires d'une lettre ouverte qui critique la politique linguistique du gouvernement Bouchard[16]. À l'automne, les péquistes de la circonscription de Mercier le sollicitent comme candidat au scrutin qui s'annonce pour succéder à Robert Perreault. « Pour Mercier et pour le Québec, il est important d'avoir des gens forts, déclare le président du PQ de Mercier, un des bastions des "purs et durs". Il est temps de brasser la cage. On sent un ramollissement [au gouvernement] sur la question de la langue[17]. »

Au début de décembre 2000, Yves Michaud est très présent sur la scène politique.

Le 5, il présente ses *Paroles d'un homme libre* à l'émission radiophonique de Paul Arcand.

---

16. *Le Devoir*, 24 août 2000.
17. Michel Corbeil, « Yves Michaud tente un retour », *Le Soleil*, 25 octobre 2000.

Le 12, il annonce qu'il se présentera à l'investiture dans Mercier.

Le 13, il témoigne devant la Commission des États généraux sur la situation et l'avenir de la langue française…

Quels propos « inacceptables » ?

Depuis le déclenchement des événements, la parole de monsieur Michaud a été déformée de façon incroyable. Les gens l'accusent de minimiser l'Holocauste, alors qu'il n'a jamais fait ça. On l'accuse aussi d'être antisémite. Moi, je pense qu'il ne l'est pas.

ROBERT LIBMAN, directeur régional de B'nai Brith, cité par Georges Boulanger dans *Voir*, 1er mars 2001

As for the December remark by Quebec Premier Bernard Landry, then the Deputy Premier, that Mr. Michaud had made a « monstrous historical error in treating the Holocaust as banal », Mr. Michaud should have no problem proving this is plainly false.

JONATHAN KAY, *National Post*, 14 avril 2001

« LE TEXTE PARLE PAR LUI-MÊME », avait dit le leader de l'Opposition officielle, pour se justifier de ne pas engager de débat sur la motion, mais ce n'était pas vraiment clair pour tout le monde. « [Hier], écrit Robert Dutrisac le 15 décembre[1], on

1. *Le Devoir*, 15 décembre 2000.

avait du mal à identifier quels propos inacceptables aurait tenus M. Michaud lors de sa comparution [aux États généraux]. » Lysiane Gagnon se pose encore des questions deux jours après : « On ne sait même pas d'ailleurs exactement sur quelle déclaration M. Michaud est condamné[2]. »

> Les parlementaires n'ont pas cité les mots jugés répréhensibles, rapporte Michel Corbeil. Tout laisse croire qu'il s'agit des critiques virulentes à l'égard de l'organisation de défense de la communauté juive B'nai Brith. Les députés en ont aussi contre le fait que celui qui a annoncé son intention d'être candidat péquiste dans Mercier insiste pour dire que le peuple juif n'est pas le seul à être martyr de l'Histoire et que les Palestiniens, Rwandais et même Acadiens ont également souffert[3].

Ce qu'on lui a fait dire

Les parlementaires qui se sont avancés au micro pour justifier le blâme contre Yves Michaud semblent par contre avoir tout compris, surtout du côté gouvernemental.

Envoyé « au bâton » au nom du gouvernement, le ministre des Relations avec les citoyens, Sylvain Simard, déclare que M. Michaud a « repris des propos traditionnels de la polémique antisémite. Il a banalisé

---

2. *La Presse*, 16 décembre 2000.
3. *Le Soleil*, 15 décembre 2000.

l'Holocauste et jeté à la vindicte publique une communauté solidement implantée au Québec depuis 100 ans ». Selon lui, les allusions de M. Michaud à « l'avant-garde mondiale du sionisme dénotent un vieux relent d'antisémitisme qu'on ne peut que condamner. Ces propos doivent être étouffés dans l'œuf, ils portent en eux le germe de tant de violence et de haine[4] ». Au bénéfice de la presse anglophone, il décrit Michaud comme un « crackpot[5] ».

Le vieil ami de Michaud, Bernard Landry, abonde dans le même sens :

> S'il y a quelqu'un de désolé aujourd'hui, c'est moi. M. Michaud a fait une erreur historique monstrueuse en banalisant l'Holocauste. C'est là le centre de l'affaire bien qu'il y ait d'autres détails qui ne soient pas beaux. Il a nié l'épisode le plus barbare de l'Histoire humaine dans son exceptionnalité. De tels propos, non retirés, disqualifient quelqu'un d'être membre de l'Assemblée nationale[6].

Ce qu'il a vraiment dit aux États généraux

Or, il n'y a rien de semblable ni même d'approchant dans le témoignage de Michaud devant les commissaires des États généraux, comme on peut le constater

---

4. Cité par Denis Lessard, *La Presse*, 15 décembre 2000.
5. Elizabeth Thompson, « Michaud rebuke triggers PQ split », *The Gazette*, 15 décembre 2000.
6. Cité par Denis Lessard, *La Presse*, 15 décembre 2000.

en lisant la transcription officielle préparée aux fins de la requête présentée à la Cour supérieure en 2004. La citation est un peu longue, mais elle s'impose comme pénitence à ceux et celles qui en ont tiré des conclusions sans l'avoir lue en 2000. C'est la première fois que ce texte est publié, ailleurs que dans un livre de Michaud, *Les raisons de la colère*, en 2005 :

> Monsieur le Président, Messieurs les Commissaires, contrairement à mon habitude, j'ai fait extrêmement court. J'ai mis beaucoup de temps à faire court, étant donné le délai qui m'est imparti pour m'adresser devant votre auguste magistère, puisque vous aurez à décider de l'avenir de la langue française au Québec au cours des prochains mois et à conseiller et à faire rapport au gouvernement québécois sur la situation de la langue française.
>
> Je dois vous dire qu'il y a trente et un (31) ans exactement, en novembre mil neuf cent soixante-neuf (1969), on m'a rebattu les oreilles, là, tant et plus sur les vertus de l'incitation, de l'attentisme, de la gentillesse, de l'apaisement, de la persuasion et toute autre procrastination de même farine, alors que je fus le premier député à démissionner de mon parti, le Parti libéral du Québec à l'époque, pour combattre l'infâme loi 63, scélérate, assimilatrice, qui visait à bilinguiser le Québec.
>
> J'ai entendu, j'ai lu des témoignages qui ont été faits devant vous. La ritournelle recommence. C'est-à-dire, ce genre de discours inspiré de la vulgate coloniale, fédéraliste et assimilatrice, nous reproche

presque d'exister et nous culpabilise d'être ce que nous sommes. Il nous invite infailliblement à remettre à des lendemains incertains et toujours de plus en plus lointains des mesures d'urgence qui doivent être prises aujourd'hui.

Les assimilateurs se réjouissent de nous voir tomber dans le piège de la mollesse et de l'indifférence. Pour eux, l'avenir dure longtemps. Depuis Lord Durham, ça fait deux (2) siècles qu'ils essaient de nous assimiler, puis ils continuent. L'histoire se répète, et elle bégaie.

Aux craintifs et timorés qui nous repassent le vieux film sans cesse, et vous l'avez entendu plusieurs fois, de l'incitation et qui rembobinent la cassette usée d'une mendiante et plaintive tolérance à sens unique, il faut rappeler que la minorité anglo-québécoise, représentant huit pour cent (8 %) de la population du Québec, assimile encore aujourd'hui plus de la moitié des immigrants québécois.

C'est pour ça que je suis inquiet, pour ne pas dire angoissé, devant l'avenir de notre langue, devant la laborieuse et presque inefficace intégration de la majorité des immigrants au Québec, d'où, comme vous le savez peut-être sans doute certains d'entre vous, mes montées infructueuses aux barricades du Parti québécois pour revenir à la loi 101, affaiblie, effilochée, anémiée, clochardiser [sic] par des jugements de la Cour suprême du Canada et peut-être aussi, ce qui est plus désolant encore, par notre propre volonté… l'absence de notre volonté collective de préserver intact l'héritage de René Lévesque et de Camille Laurin.

Il faut revenir à l'esprit de la loi 101, oui, sans peur et indifférents aux reproches de groupes, personnes, coteries, coalitions, partis fédéralisant qui feront tout pour que nous ne soyons pas maîtres chez nous.

Notre situation de minoritaires, voisins de la plus grande puissance assimilatrice économique et culturelle du monde, commande courage, volonté et fermeté. C'est Lacordaire qui disait, cité récemment à une émission de Pivot par Agrège [Allègre]: « Entre le fort et le faible, c'est la liberté qui opprime, mais c'est la loi qui affranchit. » Dans notre cas, la liberté de choix de la langue d'enseignement.

Alors, je ne suis pas peu fier, lorsqu'il s'agit de préserver l'essentiel de ce que nous sommes, c'est-à-dire le référent essentiel de notre nation, de me ranger dans ce que les chroniqueurs de la politique appellent les purs et durs, par opposition sans doute aux impurs et mous, velléitaires, frileux, pusillanimes, la plupart vivant en serre chaude dans des milieux relativement protégés contre l'envahissement de l'anglais et ne mesurant pas dans la vie concrète des Montréalais qui, eux, voient dans la métropole, dans la deuxième ville de civilisation de langue française du monde, la déchéance de leur propre langue.

Et je me dis qu'un peuple n'a pas le droit de se faire hara-kiri. L'action doit être prompte, ferme et vigilante. Pour jouir d'une tranquillité illusoire, pour ne pas ouvrir – on entend toujours ça – la *canne* à vers des débats sur la langue, comme ils disent, les apaisants nous préparent un Munich linguistique. Pour avoir la paix, ils sacrifient l'honneur. Ils subiront à la fois et la défaite et le déshonneur.

L'un d'eux déclarait récemment à Chicoutimi, un des intellectuels parmi les plus brillants de la génération actuelle des Québécois[7], il déclarait du même souffle que les néo-Québécois sont la clé du développement du français, mais qu'avant de prendre des mesures radicales, disait-il, écrivait-il, il faut encore donner une chance à l'espoir d'équilibre linguistique pour quelque temps, quitte à faire de nouveau le point dans quelques années.

Alors, il écrivait « pour donner une chance à l'espoir d'équilibre ». C'est donc que le constat est avéré dans son esprit qu'il y a déséquilibre, puisqu'il veut donner une chance d'équilibre. En somme, le cancer progresse, selon lui, entre parfois en rémission, mais l'on interviendra dans quelques années, alors qu'il sera dans sa phase terminale. Ce n'est pas une réjouissante perspective.

Les attentistes, et il y en aura beaucoup, il y en aura, il y en a eu et il y en aura beaucoup qui viendront devant vous, sont les complices inconscients du coup de frein à l'intégration des immigrants.

Certes, certains néo-Québécois, dont le nombre est insuffisant, hélas, ont opté pour le Québec d'abord

7. Il est question ici de Gérard Bouchard, frère du premier ministre.

et enrichissent de manière brillante et exemplaire la patrie qu'ils ont adoptée. Au titre de leur contribution au patrimoine commun, ils mettent parfois, voire souvent, plus de générosité et plus d'ardeur et de ferveur que beaucoup de nos concitoyens dits de souche, mais de souche déracinée, indifférents ou étrangers au devenir de leur propre patrie.

Mes propres concitoyens devraient suivre l'exemple de ce que le chanoine Groulx disait à propos du peuple juif. Le chanoine Groulx disait et nous invitait, et je le cite, « à posséder, comme les Juifs, leur âpre volonté de survivance, leur invincible esprit de solidarité, leur impérissable armature morale ». Et l'historien donnait alors l'exemple du peuple juif comme modèle à suivre pour que les Québécois affirment leur propre identité nationale et assument, et assument pleinement, l'héritage de leur histoire, ajoutant que l'antisémitisme était « une attitude antichrétienne et que les Chrétiens sont, en un sens, spirituellement des Sémites ». Fin de la citation.

Ce chanoine Groulx, qui est un des maîtres à penser de deux (2) générations de Québécois et dont on a voulu débaptiser la station Lionel-Groulx il y a quelques années, sans doute pour la remplacer par station Mordecai-Richler, le boulevard René-Lévesque par le boulevard, sans doute, Ariel-Sharon, la place Jacques-Cartier par la place Galganov, et ainsi de suite. C'est un peu satirique, c'est en boutade un peu que je dis cela, mais je pense qu'il en est qui exagèrent et qui poussent le bouchon un peu trop loin.

Si on suivait l'exemple du chanoine Groulx, si mes concitoyens suivaient l'exemple du chanoine Groulx, on n'aurait pas à dresser le constat déplorable que cinquante-sept pour cent (57 %) des jeunes immigrants québécois, malgré l'enseignement qu'ils ont reçu en français à l'école primaire et secondaire, s'inscrivent aux universités de langue anglaise après avoir exercé leur fameux « libre choix », entre guillemets, de fréquenter un cégep de langue anglaise. Voilà qui est proprement aberrant.

Au reste, et vous aurez à vous interroger là-dessus, en vertu de quelle perversion des mots, en vertu de quelle dérive pédagogique puis de quelle douteuse modernité assimilatrice nos collèges d'enseignement général et professionnel ne font-ils plus partie du réseau secondaire de notre enseignement national ?

Je suis d'une génération où il y avait le primaire, et le secondaire se terminait au bac, et après, on entrait à l'université. Alors, il en est qui prétendent que les collèges d'enseignement général et professionnel sont *mutatis mutandis* quelque chose d'universitaire. Cela est faux.

Il faut savoir raison garder et reconnaître que la première, et la principale, et la plus urgente mesure que le gouvernement devra prendre, c'est de modifier la Charte de la langue française pour que l'enseignement du français soit obligatoire jusqu'au cégep inclusivement.

Pourquoi ? Parce que c'est à ce moment-là, où on a seize (16), dix-sept (17), dix-huit (18), dix-neuf (19) ans, que l'on choisit son conjoint, que l'on choisit sa conjointe, qu'on aura probablement des enfants qui vont parler anglais – et il y a tous les effets économiques induits dans tout cela – qui n'ouvriront pas un compte à la caisse populaire, qui ne liront ni *La Presse*, ni *La Gazette*, et qui… ni *La Presse* ni *Le Devoir* et qui liront plutôt *La Gazette et caetera*. Donc, ils seront assimilés par les huit pour cent (8 %) d'Anglo-Québécois qui, eux, sont confortés par la très grande culture nord-américaine et les puissants voisins d'Amérique. Il faut commencer par là.

Et en parlant du libre choix, trouvez-moi, et j'aimerais bien que l'on m'en donne, un seul exemple au monde qui accorde à ses immigrants un autre choix que le système public d'enseignement qu'il s'est donné.

En vertu de quelle théorie fumeuse du libre choix le Québec accorderait à tous les habitants de la planète, virtuels candidats à l'immigration, de choisir la langue d'enseignement de leurs enfants ? Si cela était, ils choisiraient l'anglais, et en deux (2) ou trois (3) générations de Québécois, le français passerait l'arme à gauche. Lord Durham se retournerait dans sa tombe et ses descendants feraient chanter des *Te Deum* au parlement outaouais et l'*Hymne à la joie* couvrirait le Canada en entier, d'une mare à l'autre.

« Être ou ne pas être assimilés ? », voilà la question. La souveraineté du Québec est indispensable sans le soutien, l'apport et la volonté d'un nombre substantiel de néo-Québécois qui feront route avec nous et contribueront à l'édification d'une société de justice sociale et de liberté.

C'est sur des communautés humaines comme la nôtre, incrustées dans une même histoire et une volonté de vivre un même destin collectif enrichi de l'apport précieux de nouveaux citoyens, c'est cela qui constitue les nations, lieux privilégiés et irremplaçables de la démocratie, d'une solidarité d'hommes et de femmes qui veulent vivre ensemble un même destin collectif.

Des immigrants, nous en voulons, oui, le plus possible, et poussant jusqu'à la limite nos capacités d'accueil, des immigrants qui seront non seulement des ayants droit, mais des ayants devoir aussi à l'égard de l'une des sociétés les plus généreuses du monde qui les accueille à bras et portefeuille ouverts. Des immigrants ayant devoir, c'est-à-dire comprenant et parlant notre langue, ouverts à notre culture, à notre façon de travailler, d'entreprendre, d'interpréter le monde en français et de nous accompagner sur le chemin qui mène à la maîtrise de tous les outils de notre développement.

Si cela devait être, nous n'assisterions pas à des genres de résultats comme ceux du référendum de mil neuf cent quatre-vingt-quinze (1995). Moi, j'habite à la lisière du Montréal français et du Montréal anglais, à Côte St-Luc, où, vous avez ça dans l'annexe en document, douze (12) circonscriptions, deux mille deux cent soixante-quinze (2275) votants, aucun oui dans les douze (12) circonscriptions. Aucun oui, deux mille deux cent soixante-quinze (2275) non. Il y a même pas un étudiant égaré qui a voté oui. Il y a même pas un aveugle qui s'est trompé, ou un malvoyant. C'est l'intolérance zéro.

Il y a trois (3) explications à cela ou bien d'un vote comme celui-là, alors que les Québécois, eux, votent, exercent leur liberté démocratique, soixante-quarante (60-40) en faveur du oui, cinquante-cinq–quarante-cinq (55-45), là, c'est cent pour cent (100 %) contre la souveraineté du peuple québécois. Je le répète, Côte St-Luc, vérifiez dans le rapport du directeur général des élections. Et ce n'est pas les seuls cas. Je n'ai pas fait toute l'étude.

Alors, ça n'arriverait pas, ça. Pourquoi ? Il y a trois (3) hypothèses quand ça arrive. Un, il y a un phénomène de rejet chez eux. Deux, il y a un phénomène de rejet et peut-être d'hostilité, peut-être de haine. Trois, ils ne nous ont pas compris.

Je privilégie la troisième hypothèse. C'est que les immigrants qui ont tous voté oui massivement, ces immigrants-là… et dans Côte St-Luc, ce ne sont pas des Anglo-Québécois ; la majorité, ce sont les fils et les enfants d'immigrants qui sont dits… que l'on appelle par un mot que je n'aime pas, des allophones. C'est la grande majorité des habitants de Côte St-Luc.

Alors, si c'est vrai pour l'intégration des immigrants, je terminerai là-dessus, c'est aussi vrai pour un sujet – j'ai voulu parler d'intégration des immigrants – pour un sujet qui concerne l'affichage.

Il s'est répandu des mythes et des légendes à ce sujet. Au congrès plénier du Parti québécois de quatre-vingt-seize (96), de hautes autorités de cette formation politique à laquelle j'adhère, et non des moindres, ont déclaré qu'elles ne pourraient plus se regarder dans le miroir si nous abolissions la loi 86, stupide sous certains aspects d'ailleurs, loi libérale votée par un gouvernement libéral qui vise à mesurer une prédominance du français, *et caetera* – moi, je trouve ça, mesurer au galon ou au mètre l'affichage, je trouve que c'est assez stupide – alors, dont d'ailleurs l'abolition de la loi 86 avait été réclamée à cor et à cri par l'opposition du Parti québécois à l'Assemblée nationale. Quand ils sont revenus au pouvoir, ils n'ont pas voulu le faire.

Et on a invoqué René Lévesque, qui est une des personnalités les plus brillantes, les plus respectées, et dont nous sommes inconsolables de sa disparition, à l'effet qu'il aurait été du côté des non-abolitionnistes, c'est-à-dire qu'il aurait été de ceux-là qui ne voudraient pas toucher, rappeler la loi 86 et revenir à la fidélité, à l'originalité, à la pureté de la loi 101.

Et voici ce que René Lévesque disait dans une lettre au président d'Alliance-Québec, monsieur MacDuff [?], et je cite :

« Il est important que le visage du Québec soit d'abord français, ne serait-ce que pour ne pas ressusciter aux yeux des nouveaux venus l'ambiguïté qui prévalait autrefois quant au caractère de notre société, ambiguïté qui nous a valu des crises déchirantes. Il y a deux (2) langues ici, l'anglais et le français. À sa manière, en effet, affiche bilingue dit à l'immigrant : "Il y a deux (2) langues ici, l'anglais et le français. On choisit celle qu'on veut". Elle dit à l'anglophone : "Pas besoin d'apprendre le français, tout est traduit." Ce n'est pas là le message que nous voulons faire passer. Il nous apparaît vital que nous prenions conscience du caractère français de notre société. Or, en dehors de l'affichage, ce caractère n'est pas toujours évident ». Fin de la citation de René Lévesque.

Voilà ce que j'avais à vous dire. Je n'ai pas à vous rappeler les considérants qui ressortent du bulletin statistique du ministère de l'Éducation, qui prouvent [sic] hors de tout doute raisonnable qu'au sortir du cégep il y a plus de cinquante pour cent (50 %) de la majorité des néo-Québécois qui choisissent de vivre en anglais et qui ne nous accompagnent pas sur la route de notre destin collectif.

L'intervention d'Yves Michaud a été suivie d'une période de questions qu'il n'est pas pertinent de reprendre intégralement ici[8] (à cause des nombreux passages insignifiants, civilités, digressions sur le vote aux élections, par rapport au référendum, considérations peu pertinentes sur l'histoire, etc.) mais on en retiendra les extraits suivants qui complètent le témoignage, le précisent ou le nuancent :

- [à M. Travis] Je ne vois pas en quoi votre question est très pertinente au fait de voter oui ou non par rapport à des budgets qui sont alloués dans une circonscription et à une autre, ma démonstration

8. Pour une transcription intégrale des échanges avec les commissaires, voir *Les raisons de la colère*, p. 411-431.

étant à l'effet que si les immigrants – et ceux-là dans Côte St-Luc, là, c'est une bonne proportion – nous comprenaient quand on leur parle, s'ils comprenaient notre langue, s'ils comprenaient les enjeux de base d'un peuple qui a le droit à sa patrie, peut-être qu'il y en a quelques-uns d'entre eux qui voteraient oui, alors qu'ils ont massivement voté non.

- [à Mme Lopez] Quand on dit « nous » comme peuple, « pour nous accompagner », ça n'est pas exclusif aux autres. J'ai parlé des néo-Québécois, qui sont là et qui brillamment nous accompagnent, et nous accompagnent en ce sens qu'ils entrent dans notre façon de penser, de parler, de croire, d'aimer, d'espérer, d'entreprendre. C'est cela. [...] Alors, le « nous » n'exclut pas les autres, loin de là. Il est inclusif, au lieu d'être exclusif.
- [à Mme Bouchard] Vous avez raison, le gouvernement n'a pas tout fait pour se faire comprendre et devrait prendre toutes les mesures pour se faire comprendre, dont une serait peut-être d'étendre... serait sans doute d'étendre jusqu'à l'enseignement... le français jusqu'au cégep inclusivement. Ça en est une des mesures que l'on suggère pour que, enfin, les immigrants puissent nous comprendre.
- [à Mme Bouchard] C'est évidemment [sic] que nous allons devenir un pays avec une mosaïque culturelle différente de ce que nous avons été il y a cent (100) ans, et c'est pour cela qu'un pays, une

société doit être assimilatrice. Si elle ne l'est pas, elle est assimilée par d'autres.

Et remarquez que quand... souvent on me traite d'extrémiste, mais pour les Anglo-Québécois qui nous accompagnent depuis des siècles, depuis des siècles, moi, je serai... je monterai aux barricades pour défendre leur droit à leur langue, leurs écoles, leurs institutions, leurs hôpitaux, parce qu'une qualité de la démocratie, une... une démocratie se définit comment? Par la qualité qu'une démocratie accorde à ses minorités.

- [à M. Larose] Nous sommes en péril. La langue française à Montréal est en danger. Et si la langue française à Montréal vient à s'étioler, qu'elle vient à mourir, nous entrerons dans un processus de *folklorisation* et de *louisianisation*.

Si les commissaires ne recommandent pas au gouvernement des mesures fermes pour revenir à l'esprit de la loi 101 [...], les gouvernements qui se succéderont deviendront de plus en plus frileux, deviendront de plus en plus pusillanimes et ne feront pas en sorte que subsiste à la fois pour nos enfants et nos petits-enfants, ceux-là qui nous suivront, cette civilisation de langue française du monde qui est sur le continent nord-américain et qui est une richesse universelle.

Il n'a donc jamais été question de l'Holocauste, de la souffrance comparée des uns des autres ou de l'organisation B'nai Brith lors du témoignage d'Yves Michaud aux États généraux. Il n'a pas parlé de la communauté juive, mais du peuple juif, à une seule reprise, et c'était pour le présenter « comme modèle à suivre pour que les Québécois affirment leur propre identité ». Le chef de l'Opposition et le premier ministre, qui sont tous deux avocats, ont donc entériné un « acte d'accusation » fondé sur une fausseté et entraîné leurs députés dans cette erreur.

Il faut rappeler aussi que l'intervention d'Yves Michaud ne portait pas sur les communautés ethniques, juives ou autres, ou les immigrants en général, mais sur l'avenir de la langue française. Considérant que cette dernière est en péril à Montréal, il plaidait pour l'adoption de mesures fermes, dont l'enseignement en français jusqu'au cégep inclusivement pour les immigrants, ce qui aurait pour effet de favoriser leur intégration à la société québécoise. Michaud souhaite des immigrants, « jusqu'à la limite de nos capacités d'accueil », des immigrants ayant droit mais aussi ayant devoir, « c'est-à-dire comprenant et parlant notre langue, ouverts à notre culture, à notre façon de travailler, d'entreprendre, d'interpréter le monde en français et de nous accompagner sur le chemin qui mène à la maîtrise de tous les outils de notre développement » (ce que plusieurs journalistes ont remplacé par « souveraineté » dans leurs textes, pour accommoder leurs lecteurs...), l'accompagnement consistant précisément à entrer « dans notre façon de penser, de parler, de croire, d'aimer, d'espérer, d'entreprendre », et non à voter obligatoirement pour la souveraineté. En militant souverainiste, Yves Michaud soutient que, si les immigrants étaient instruits en français, s'ils « comprenaient notre langue, s'ils comprenaient les enjeux de base d'un peuple qui a le droit à sa patrie, peut-être qu'il y en a quelques-uns d'entre eux qui voteraient oui, alors qu'ils ont massivement voté non », comme le démontrent les statistiques du vote dans son quartier de Côte-Saint-Luc, un sujet qu'il avait abordé dans *Paroles d'un homme libre* en précisant, comme si cela n'était pas évident, que « chacun est libre de voter comme il l'entend[9] ».

---

9. *Paroles d'un homme libre*, p. 31-33. Les études de Pierre Serré sur le comportement électoral appuient l'approche défendue par Yves Michaud sur l'intégration linguistique : « Outre la question de l'indépendance, la question de l'intégration linguistique des immigrants a une signification vitale pour la majorité francophone. À cet égard, il est absolument certain que, sans intervention politique de l'État en matière de choix linguistique des immigrants – et grâce au catastrophique et très coûteux solde migratoire interprovincial –, le Québec se serait rapidement anglicisé avec l'arrivée des grandes vagues d'immigrants de l'après-guerre. À l'évidence, la capacité du Québec à mettre en place un cadre d'intégration linguistique dépend directement du poids représenté par les francophones dans l'ensemble de la population québécoise. Or, s'il est vrai que le profil ethnolinguistique de la population québécoise a considérablement changé depuis 30 ans, les politiques de francisation ont néanmoins été

Il faut une dose massive de mauvaise foi pour trouver là des propos « inacceptables à l'égard des communautés ethniques et, en particulier, à l'égard de la communauté juive » et justifiant une condamnation par la plus haute institution du Québec. Mais encore aurait-il fallu, pour en juger, prendre connaissance de ce témoignage que personne n'a publié en décembre 2000, sauf un bref extrait dans *La Presse* le 19 décembre 2000[10].

Robert Libman et le B'nai Brith

Les auteurs de la motion du 14 décembre auraient donc trouvé leur inspiration ailleurs que dans le témoignage aux États généraux, soit dans les échos des accrochages entre Yves Michaud et l'organisation

---

nettement insuffisantes pour que l'on puisse croire que la survie linguistique de la majorité soit définitivement assurée. » (Pierre Serré et Nathalie Lavoie, « Le comportement électoral des Québécois d'origine immigrante dans la région de Montréal, 1986-1998 », dans *L'année politique au Québec 1997-1998*, http://www.pum.umontreal.ca/apqc/97_98/serre/serre.htm).

10. Le *verbatim* partiel publié par *La Presse* le 19 décembre 2000, sous le titre « Ce que Michaud a vraiment dit », contient le passage suivant qui, curieusement, n'est pas dans la transcription sténographique officielle de son témoignage aux États généraux : « Là, il y a un vote ethnique contre la souveraineté du peuple québécois. Si nous ne faisons pas en sorte d'intégrer nos immigrants et de les assimiler, eh bien, nous entrerons sur la pente de la louisianisation, de la folklorisation de notre société ». Cette phrase n'est pas non plus dans les notes que Michaud avait préparées en vue de son intervention.

B'nai Brith, dirigée au Québec par Robert Libman. On ne peut comprendre l'affaire Michaud sans prendre en compte le rôle de ces deux derniers acteurs dans les jours précédant la motion du 14 décembre.

Fondé au XIXe siècle, B'nai Brith est présent dans une trentaine de pays. Les membres sont regroupés en loges qui aident les démunis de la communauté juive (logements à loyers modiques, paniers de provisions, etc.). Avec le temps, B'nai Brith s'est aussi donné le mandat de défendre les Juifs contre la discrimination et de lutter contre l'antisémitisme. Sa ligue des droits de la personne publie un rapport annuel qui répertorie (sans en vérifier systématiquement l'exactitude) les incidents antisémites qui lui sont signalés au Canada.

La section canadienne du B'nai Brith est la plus vieille organisation juive du pays (fondée en 1875). Elle est politiquement plus près du Likoud (parti sioniste de la droite libérale, nationaliste et conservatrice israélienne), quant à son point de vue sur Israël et le sionisme, que le Congrès juif qui est officiellement non partisan en matière de politique israélienne. Son organe de presse, *Jewish Tribune*, est plus ouvertement de droite que le *Canadian Jewish News*, plus proche du Congrès juif canadien[11].

---

11. http://fr.wikipedia.org/wiki/B'nai_B'rith (consulté le 22 juin 2010).

Les activités du B'nai Brith comme groupe de pression ne faisaient pas l'unanimité dans la communauté, à l'époque de l'affaire Michaud. Salomon Cohen, par exemple, considérait que Robert Libman se servait « de l'immense prestige de B'nai Brith pour poursuivre sa lutte contre les souverainistes et, systématiquement, remettre en doute leurs intentions[12] ». On ne compte plus, depuis, les occasions où la virulence et les déclarations intempestives de cette organisation ont été dénoncées. Parmi les victimes de ses interventions radicales, le candidat Jocelyn Coulon (soupçonné de sympathie palestinienne et d'hostilité à l'égard de l'État d'Israël), le *crooner* Fernand Gignac (accusé d'avoir tenu des propos antisémites lorsqu'il a critiqué le manque de savoir-vivre de certains membres de la communauté juive de Floride), le caricaturiste Serge Chapleau (qui avait dessiné un Mario Dumont coiffé d'un *shtreimel*), le chroniqueur Pierre Foglia, etc.

En janvier 2010, quand B'nai Brith a comparé la décision d'exclure les femmes de la compétition de saut en ski aux Jeux de Vancouver aux politiques nazies de 1936, un éditorialiste du *National Post* s'est

---

12. Georges Boulanger, « B'nai Brith va-t-elle trop loin ? », *Voir*, 1er mars 2001, p. 6. « Pour moi, Libman, Galganov et Mordecai Richler sont des bougies d'allumage de l'antisémitisme au Québec ; par leur personnalité, ils font mousser l'antisémitisme. Pourtant, le rôle de Robert Libman est d'atténuer l'antisémitisme, mais sa personnalité fait en sorte que c'est le contraire qui arrive. » Salomon Cohen cité par Georges Boulanger, *loc. cit.*

demandé s'il s'agissait d'un canular : « It's time for the folks at B'nai Brith Canada to close up shop and go home : their phobic mission to convince us that Canadian society is suffused with Nazi-like hatred has launched into the realm of outright farce[13]. » À l'occasion, le Congrès juif doit même prendre ses distances, comme en 2007, lorsque le conseiller juridique national du B'nai Brith accuse le Parti québécois de xénophobie, et l'associe à l'extrême droite européenne, à cause de son projet de loi sur l'identité québécoise[14]. Plus récemment, quand un journal israélien (*Ha'aretz*) a publié un texte suggérant que les Juifs de Montréal vivaient « in fear of anti-Semitic gangs and criminals », en s'inspirant apparemment d'un article du *Jewish Tribune*, le président du Congrès juif québécois et le rabbin Reuben Poupko ont carrément réfuté cette assertion, le dernier ajoutant « that B'nai Brith has "limited knowledge" of Montreal and "limited credibility" there[15] ».

---

13. Jonathan Kay, « B'nai Brith compares Vancouver's treatment of female ski jumpers to Nazi policies of 1936 », *National Post*, 6 janvier 2010 (http://www.vigile.net/B-nai-Brith-compares-Vancouver-s).

14. Guillaume Bourgault-Côté, « Projet de loi sur l'identité québécoise - Le B'naï Brith accuse le PQ de xénophobie », *Le Devoir*, 26 octobre 2007.

15. Jonathan Kay, « B'nai Brith report on anti-Semitism debunked », *National Post*, 12 mai 2010, http://network.nationalpost.com/NP/blogs/fullcomment/archive/2010/05/12/jonathan-kay-on-b-nai-b-rith.aspx. Le professeur Stephen Scheinberg, qui était

Michaud et Libman, le « Quebec Regional Director » du B'nai Brith, sont dans des camps politiques complètement opposés[16]. Alors que le premier s'est illustré en quittant son parti sur la question du bill 63 en 1969, le second a fondé le Parti égalité (1989) qui regroupait des Montréalais mécontents de la décision de Robert Bourassa d'invoquer la clause « nonobstant » pour assurer le maintien des dispositions de la Charte de la langue française concernant la langue d'affichage. Michaud prône l'enseignement en français jusqu'au cégep inclusivement tandis que B'nai Brith demande d'ouvrir l'école anglaise à tous les immigrants anglophones. Yves Michaud est vice-président de la Fondation Lionel-Groulx (de 1996 à 2005) quand B'nai Brith demande de changer le nom de la station de métro Lionel-Groulx. Sans compter que Michaud réside en bordure de Côte-Saint-Luc dont le maire est alors Robert Libman, un des ténors *partitionnistes* au Québec ; son conseil a d'ailleurs proposé qu'un référendum municipal soit tenu pour rester rattaché au Canada si le Québec se « séparait ».

---

président national de la Ligue des droits de la personne en décembre 2000, est aujourd'hui devenu très critique à l'endroit du B'nai Brith (Luc Chartrand, « Un Juif se vide le cœur », *L'Actualité*, 15 mai 2010).

16. Gérald LeBlanc, « Robert Libman et Yves Michaud, des vétérans du débat linguistique », *La Presse*, 23 décembre 2000.

Il est évident que l'affaire Michaud s'est nourrie de la friction entre les deux militants, mais un seul en a payé le prix.

Ce qu'il a dit à Paul Arcand

La veille de son passage aux États généraux, le 12 décembre, en début de journée, Yves Michaud annonce que sa réflexion est terminée et qu'il présentera sa candidature à l'investiture dans Mercier, tout en précisant qu'il n'était « guère attiré par la perspective d'être enfermé dans un corridor disciplinaire[17] ». Dans l'après-midi, B'nai Brith émet un communiqué[18] qui attaque Michaud personnellement :

> B'nai Brith Canada presse les électeurs de la circonscription multiculturelle de Mercier de rejeter la nomination du « dinosaure » nationaliste Yves Michaud, dont la candidature aux élections partielles pour remplacer Robert Perreault a été annoncée aujourd'hui. L'organisme juif exhorte également le Premier ministre Lucien Bouchard d'indiquer

17. *Le Devoir*, 13 décembre 2000.

18. « Pour s'assurer que le communiqué de B'nai Brith demandant à M. Bouchard de désavouer M. Michaud ait le plus grand retentissement possible, la permanence du PQ à Montréal a pris l'initiative de l'acheminer aux médias auxquels il aurait pu échapper » (Michel David, « Le lynchage d'Yves Michaud », *Le Soleil*, 16 décembre 2000).

> clairement qu'il rejetterait la candidature d'Yves Michaud au Parti Québécois.
>
> Dans une récente interview accordée à la radio de CKAC, M. Michaud se répand en injures contre les Juifs et en particulier contre B'nai Brith [...].
>
> Le professeur Stephen Scheinberg, historien et président national de la Ligue s'est dit outré des stéréotypes véhiculés par Michaud à l'endroit des Juifs, les dépeignant comme un peuple indifférent à la souffrance des autres et se considérant comme le seul peuple à avoir souffert[19].

L'entrevue d'Yves Michaud avec Paul Arcand avait eu lieu le 5 décembre mais les médias n'y avaient pas fait écho. La communauté juive non plus. À quel moment les dirigeants de B'nai Brith ont-ils pris connaissance de son contenu ? Le gardait-on en réserve ? On ne le saura probablement jamais.

L'entrevue portait sur le nouveau livre de Michaud, *Paroles d'un homme libre*, mais elle avait débordé sur la question nationale en général. *La Presse* du 19 décembre[20] a publié les extraits qu'elle a jugés les plus pertinents mais la transcription diffusée par B'nai Brith pour l'information des

---

19. http://www.bnaibrith.ca/press3/pr-001218-63.htm. La transcription qui était jointe au communiqué n'est pas sur le site.
20. D'où vient cette transcription ? *La Presse* ne donne pas de source ; des différences entre sa transcription et celle de Caisse Chartier démontrent qu'il s'agit de sources différentes.

parlementaires a été réalisée par la firme spécialisée Caisse Chartier[21] et se lit comme suit :

> Paul Arcand : (animateur) Passons à autre chose.
>
> Yves Michaud : (ex-politicien[22]) Bien, je vais vous raconter une anecdote. J'étais... je suis allé chez mon coiffeur il y a à peu près un mois. Il y avait un sénateur libéral, que je ne nommerai pas, qui ne parle pas beaucoup, encore qu'il représente une circonscription française et qui me demande : es-tu toujours séparatiste Yves ? J'ai dit, oui. Oui, je suis séparatiste comme tu es Juif. J'ai dit ça prit à ton peuple 2 000 ans pour avoir sa patrie en Israël. J'ai dit moi que ça prenne dix ans, cinquante ans, cent ans de plus, je peux attendre. Alors il me dit que ce n'est pas pareil. Aïe c'est jamais pareil pour eux. Alors j'ai dit c'est pas pareil. Les Arméniens n'ont pas souffert. Les Palestiniens ne souffrent pas. Les Rwandais ne souffrent pas. J'ai dit c'est, c'est toujours vous autres. Vous êtes le seul peuple au monde qui avez souffert dans l'histoire de l'humanité. Là, j'en avais un peu le ras-de-bol. Et dans mon livre aussi, je suis complètement indigné hein d'avoir vu... c'est des chroniques des dernières années hein, de 95 à 2000. Complètement indigné à l'effet qu'on a suggéré de baptiser [sic : plutôt débaptiser] la

21. Nous remercions monsieur Daniel Amar, qui était à l'époque au cabinet de Sylvain Simard, de nous avoir fourni cette information et copie du document.
22. On notera ici le statut de Michaud : il n'avait pas annoncé qu'il serait candidat à l'investiture.

station Lionel-Groulx qui fut le maître à penser de deux générations de Québécois et qui est presque une idole québécoise. C'est le B'nai Brith qui avait fait ça, qui est la phalange extremis [sic], vous savez, du sionisme mondial, là.

Paul Arcand : Est-ce que le traitement qu'a reçu Jean-Louis Roux aussi, vous en parlez dans votre...

Yves Michaud : Ah oui. Bien oui. M. Jean-Louis Roux... on n'est pas de la même famille politique, pensez donc, hein ? M. Jean-Louis Roux va à Radio-Canada et s'excuse de sa galéjade de jeunesse alors qu'il a porté un sarrau avec une croix gammée. Alors une fois dans sa vie. Alors à Radio-Canada, il va s'excuser et le lendemain il va s'excuser au B'nai Brith d'avoir fait cela. Moi je dis bien s'il faut s'excuser, il faudrait que Sa Majesté la Reine Elizabeth II vienne s'excuser de la déportation des Acadiens. Il faudrait que l'Université McGill, le chancelier en tête et de la digne madame Greta Chambers, viennent s'excuser auprès de la communauté juive d'avoir interdit l'accès par les Juifs à l'Université McGill de langue anglaise, alors que nous les Québécois, on n'a jamais été raciste dans notre vie. Les Juifs allaient à l'Université de Montréal et un peu partout. Alors, si on joue à ce jeu-là de s'excuser, là, le Tribunal Louis Riel, je le suggère qu'on en fasse un. Vous croyez que le même sénateur qui me disait, est-ce que j'étais encore séparatiste ? J'ai dit, tu pourrais faire une proposition à l'effet de proposer que Sa Majesté vienne s'excuser pour la déportation des Acadiens de 1755. Si on fait le révisionnisme de l'histoire, là, eh bien, il faut le faire tout, il faut le faire dans les deux cas. Et puis là, je suggérerais, c'est un peu une satire, en disant, oui, on va débaptiser la station Lionel-Groulx. On va appeler ça la station Mordecaï Richler, un grand ami des Québécois.

Arcand : On va s'arrêter, oui…

Michaud : Jacques Cartier, Galganov et puis boulevard René-Lévesque : le boulevard Ariel Sharon tant qu'à y être.

Arcand : On va s'arrêter pour une pause […].

Comment l'interpréter ?

C'est naturellement le premier passage qui a suscité la réaction du B'nai Brith et il est important d'en faire une analyse serrée car il a été interprété de diverses manières.

Notons d'abord que cette transcription ne reproduit pas fidèlement la question initiale de Paul Arcand. Elle lui fait dire simplement : « Passons à autre chose », de telle sorte que la réponse, sortie complètement de son contexte, apparaît comme une attaque venue de nulle part.

La transcription de *La Presse* est heureusement plus complète sur ce point[23] et rappelle que la question de Paul Arcand ne portait aucunement sur les

23. « Ce que Michaud a vraiment dit », *La Presse*, 19 décembre 2000.

Juifs : « [...] est-ce que vous ne sentez pas un désintérêt d'une bonne partie de la population sur la question de la souveraineté et sur la question nationale, des gens qui en ont assez, c'est terminé, passons à autre chose ? »

C'est la pertinence de la cause nationale défendue par Michaud que l'animateur remet en question. Michaud choisit de la comparer à celle des Juifs.

En effet, pour illustrer son point de vue, ses motivations et sa détermination, il raconte comment le sénateur Kolber l'a abordé en lui demandant s'il est toujours « séparatiste ». Kolber aurait pu dire « souverainiste », « indépendantiste » ou « péquiste » mais il a plutôt, sciemment ou non, piqué son interlocuteur avec un terme méprisant. De son côté, Michaud aurait pu rétorquer en demandant au sénateur s'il était toujours libéral ou fédéraliste mais il répond « [...] séparatiste comme tu es juif », ce qui lui permet d'amorcer la suite : « Ça a pris à ton peuple 2000 ans pour avoir sa patrie en Israël. [...] moi, que ça prenne 10 ans, 50 ans, 100 ans de plus, ça peut attendre. » Sa comparaison porte donc sur la démarche des deux peuples : les Juifs ont cherché pendant 2000 ans à se bâtir une patrie et, si les Québécois en ont besoin de 100, c'est bien peu de chose. Son approche n'a évidemment rien de méprisant envers les juifs ; elle implique au contraire une admiration pour leur persévérance[24].

---

24. Si les députés avaient examiné sérieusement les propos de

Pourquoi le sénateur n'a-t-il pas accepté cette comparaison qui rendait hommage à la longue quête des Juifs ? La conversation se serait probablement terminée là s'il avait manifesté une certaine ouverture. Quand il répond : « [...] ce n'est pas pareil », Michaud ne le prend évidemment pas car la réaction du sénateur nie la valeur du combat de sa nation (et la sienne). Il en a, comme il dit, « un peu le ras-de-bol », et la conversation bifurque : « [...] ce n'est pas pareil ? Les Arméniens n'ont pas souffert, les Palestiniens ne souffrent pas, les Rwandais ne souffrent pas. J'ai dit : c'est toujours vous autres. Vous êtes le seul peuple au monde qui avez souffert dans l'histoire de l'humanité. »

On notera ici qu'il n'a jamais été question de la Shoah ou de l'Holocauste, des crimes commis par les nazis pendant une douzaine d'années, mais de luttes nationales respectives des Juifs et des Québécois. Michaud ne conçoit pas que la sienne soit rayée du tableau d'honneur et, pire encore (il termine là-dessus), que des compatriotes du sénateur (le B'nai Brith) veuillent faire rayer le nom d'un personnage associé à la lutte de son peuple, un « maître à penser de deux générations de Québécois »,

---

Michaud, ils auraient pu établir un lien entre ce passage de *Paroles d'un homme libre* (p. 30) où l'on peut lire : « On botte les fesses du peuple québécois depuis deux siècles et demi. Ce n'est pas tellement long en comparaison de deux millénaires d'errance du peuple juif, mais cela fait mal tout de même... » Comment peut-on dire ensuite que Michaud banalise les malheurs des Juifs ?

en suggérant qu'on débaptise la station de métro Lionel-Groulx.

Pour ceux que cette interprétation de l'échange Michaud-Kolber peut sembler complaisante, citons l'opinion exprimée par Norman Spector[25] dans une lettre ouverte à Lucien Bouchard le 28 décembre 2000[26] :

> [...] une vraie discussion devrait reconnaître que M. Michaud a utilisé des arguments valides lors de la polémique maintenant célèbre qui l'a opposé au sénateur Kolber. Tandis que les situations historiques ne sont jamais identiques – et il y a certainement des différences profondes entre le Proche-Orient et le Canada – c'est bien évident qu'il y a des parallèles entre votre mouvement et le sionisme. [...] Mais alors que le sénateur Kolber rejette la comparaison, il est intéressant de constater que son fils israélien indique que, eut-il été Québécois francophone, il aurait été probablement un souverainiste.

Des chroniqueurs ont vu une intention malicieuse derrière la mention des Palestiniens. On imagine que Michaud a énuméré ce qui venait plus facilement à l'esprit, des cas dont tout le monde parlait à l'époque. Il aurait pu puiser ses exemples ailleurs, ici même en fait, mais Dieu sait si le sénateur

25. Chroniqueur au *Globe and Mail* depuis 1995, Norman Spector avait été précédemment ambassadeur du Canada en Israël.
26. Norman Spector, « Lettre d'un Juif à Lucien Bouchard », *Le Devoir*, 28 décembre 2000.

aurait compris quelque chose en entendant parler des Hurons, décimés par les Iroquois (et les maladies), des Renards, quasi exterminés par les Français, ou des Béotuks, chassés et éliminés jusqu'au dernier, par les Anglais à Terre-Neuve. Chacun son bourreau, chacun son drame. Quel est le pire ? Celui d'un petit peuple complètement exterminé ou celui d'un plus grand en partie décimé ?

Des injures à profusion ?

Il est difficile de trouver dans cet incident ce que le communiqué de B'nai Brith prétend y voir, soit que Michaud « se répand en injures contre les Juifs » et dépeint ces derniers comme « un peuple indifférent à la souffrance des autres ».

Voyons les « injures » que Michaud aurait proférées à profusion au cours de cette émission : y a-t-il autre chose que « phalange extrémiste du sionisme mondial », une expression qui ne s'adresse évidemment pas aux Juifs ou à la communauté juive mais précisément au B'nai Brith, un groupe de pression engagé dans une lutte politique ?

Certaines interprétations, dont on ne trouve pas de traces dans le dossier de presse, voudraient que Michaud ait choisi malicieusement le mot « phalange » en référence au mouvement politique espagnol d'extrême-droite fondé dans les années 1930. « Phalange » désigne aussi un parti et des milices du Liban ainsi qu'une formation militaire chez les anciens Grecs. Le premier sens donné par les dictionnaires est « un groupement humain dont les membres sont étroitement unis » ; il fait référence notamment aux doctrines coopératives de Fourier. Certes, le mot n'est pas d'usage courant ; ceux qui ont moins de vocabulaire auraient probablement dit simplement *gang* ! Qu'a-t-il voulu dire ? Il aurait fallu lui demander au lieu de lui prêter des intentions.

Le sionisme est un mouvement politique et religieux visant à l'établissement d'un État juif en Palestine, un objectif que B'nai Brith partage sûrement[27]. Qu'il soit mondial en change-t-il le sens ? N'existe-t-il pas une Organisation sioniste mondiale légitime et honorable qui avait d'ailleurs remis des prix Jérusalem à Sylvain Simard en 1996[28] et à Lawrence Bergman en 1999[29] ? Celui qui présidait la Ligue des droits de la personne du B'nai Brith en 2000, Stephen Scheinberg, se définit lui-même comme « juif et sioniste[30] » sans que cela ne semble péjoratif.

27. « Le sionisme est le mouvement national de renaissance des juifs. Il soutient que les juifs sont un peuple et ont donc le droit à leur auto-détermination dans leur propre foyer national. Il vise à fixer et à soutenir un foyer national légalement reconnu pour les juifs dans leur patrie d'origine et à lancer et stimuler une renaissance de la vie, de la culture et de la langue nationale juive » (Zionism & Israel Center, http://www.zionism-israel.com/sionisme_definitions.htm).

28. http://www.memoireduquebec.com/wiki/index.php?title=Simard_(Sylvain).

29. http://www.assnat.qc.ca/fr/deputes/bergman-lawrence-s-1419/biographie.html.

30. *L'Actualité*, 15 mai 2010.

Extrémiste ? Convenons que le B'nai Brith n'est pas une organisation modérée et que ses positions sont nettement plus « affirmées » que celles des représentants officiels de la communauté juive. Un équivalent de la Société Saint-Jean-Baptiste ou, mieux encore, du Réseau de résistance du Québécois (RRQ) par rapport au Parti québécois, si cette comparaison peut être utile. « Extrémistes », « purs et durs » : ce sont des expressions politiques courantes qui n'émeuvent personne, en temps normal. Pour Libman, Michaud est un « old dinosaur[31] » ! Tout cela manque d'aménités, mais y a-t-il de quoi alerter un Parlement qui en entend de meilleures dans ses propres murs ?

Michaud aurait-il banalisé l'Holocauste indirectement en disant que d'autres peuples ont souffert ? Robert Libman a probablement donné lui-même la réponse à cette question : « To talk about the horrors of the Holocaust does not mean you're diminishing or minimizing anyone else's plight [Évoquer les horreurs de l'Holocauste ne signifie pas que vous diminuez ou minimisez le malheur de quiconque][32]. » On suppose que la réciproque est tout aussi défendable : dire qu'un peuple a souffert ne déprécie pas l'Holocauste.

Un examen sérieux aurait permis de connaître les propos dits « inacceptables » qu'on attribuait à

31. *The Gazette*, 14 décembre 2000.
32. Cité par Donald Mckenzie dans une dépêche de la *Canadian Press* du 13 décembre 2000.

Michaud et à ce dernier de préciser ce qu'il voulait dire. Au contraire, dans les jours et les mois qui suivent l'adoption de la motion, on nage dans la plus grande confusion.

En janvier 2001, la *Gazette* de Montréal publie les résultats d'un sondage[33] sur les propos incriminés. Voici la question posée par la firme Compas Inc. et les résultats :

> When Yves Michaud said that, despite the Holocaust, Jews are not the only people to have suffered, and that B'nai Brith was an extremist organisation, do you think Michaud was saying…
> - Something that is racist, bigoted and should probably be illegal to say, 19 %
> - Something that is racist, bigoted in a democratic society, but should be legal to say, 21 %
> - Something that is partly true but should never be said, 27 %
> - Something that is entirely true and Michaud should definitely have said it, 15 %

La mention de l'Holocauste (dont Michaud n'a jamais parlé, rappelons-le) et la double question posée par les sondeurs rendent pratiquement inutilisables les résultats de ce sondage[34], mais il est

---

33. « Landry ripped for "rag" remarks », *The Gazette*, 29 janvier 2001.
34. On notera, malgré le caractère bancal de la question, que la majorité de ceux qui se sont prononcés (27 % + 15 % sur 82 % qui répondent) considère que Michaud avait exprimé au moins

surtout important de lire le commentaire publié par Robert Libman quelques jours plus tard :

> What was objectionnable about his remarks and the reason for the widespread condemnation was not the statement above, but his blatant accusation that jews think that they themselves are the only ones through history who have suffered, which is absolutely false.
>
> This type of characterization of the Jewish community, implying Jews believe they have the monopoly on suffering, has the result of breeding resentement toward them and pitting them against other groups[35].

Cette intervention de Libman illustre bien comment on peut interpréter de diverses façons des propos dont la teneur n'a pas été officiellement établie. Elle a aussi pour mérite d'expliquer pourquoi Michaud a fortement réagi quand le sénateur Kolber a refusé d'accepter la comparaison qu'il a faite entre la quête d'une patrie pour les Juifs et celle de nationalistes québécois.

Quoi d'autre ?

Le communiqué émis par le B'nai Brith le 12 décembre est donc acheminé au premier ministre qui refuse de bloquer l'aspirant député. Il ne voit pas

---

partiellement la vérité.

35. *The Gazette*, 1er février 2001.

d'antisémitisme dans les commentaires de Michaud[36] et note « qu'aucune accusation d'antisémitisme ou de racisme n'est portée[37] ». Le président de la Ligue des droits de la personne du B'nai Brith répond le 13 par communiqué et confirme l'évaluation du premier ministre :

> Le Premier ministre semble avoir adopté le point de vue selon lequel nos doléances n'étaient pas suffisamment graves, vu que nous nous sommes abstenus de traiter M. Michaud d'antisémite ; seulement il n'est pas dans nos habitudes d'utiliser les mots à la légère, ce qui pourrait entraîner notre organisme dans de longues et coûteuses poursuites. Le défaut d'agir du Premier ministre risque de raviver, au sein de son parti, les tendances à l'intolérance et au nationalisme ethnique.

La journée du 13 ne se termine pas sans une nouvelle escalade. Lorsque Michaud témoigne aux États généraux, les porte-parole de B'nai Brith sont derrière lui, attendant leur tour (ce qui ne serait pas étranger aux digressions de Michaud sur la station de métro et le vote dans Côte-Saint-Luc). Après les deux comparutions, les journalistes courent après les témoins et attisent le conflit.

> The war of words between one of the PQ's most flamboyant members and one of the country's largest

36. *La Presse canadienne*, 13 décembre 2000.
37. *The Gazette* et *Le Soleil*, 13 décembre 2000.

> Jewish fraternal groups spilled over into the corridors of the estates-general on language yesterday, with both sides criticizing the other to reporters[38].

C'est probablement dans ces incidents, tels qu'ils ont été rapportés notamment par la *Gazette* du 14 décembre que les concepteurs de la motion ont trouvé leur inspiration. Il y est question simultanément des États généraux, de l'émission de Paul Arcand et des échos de corridors :

> Members of B'nai Brith vowed yesterday to campaign against Yves Michaud should he become the Parti Quebecois candidate in the riding of Mercier, saying residents of the multi-cultural area have a right to know more about him.
>
> « We're not going to go door-to-door in the riding but we will put out some information, there's no doubt of that », B'nai Brith Canada managing director Robert Libman told reporters.
>
> Michaud, on the other hand, accused B'nai Brith of being anti-Quebecers and anti- sovereignist, saying they are wrong to try interfere in the PQ's nomination process for candidates.
>
> « They should excuse themselves for being so anti-Quebecois... They are the extremist anti-sovereignists in Quebec and I don't talk to these kinds of people. »

38. *The Gazette*, 14 décembre 2000.

Anti-souverainistes ? C'est l'évidence. Anti-Québécois ? Michaud le juge évidemment à partir de ses convictions politiques et des positions *partitionnistes* de Libman. Si ces expressions manquent aussi d'aménité, elles se défendent facilement, comme l'expliquera plus tard Norman Spector dans sa « Lettre d'un Juif à Lucien Bouchard » :

> [...] à la lumière de leur politique de deux poids, deux mesures en matière de banalisation de la Shoah – et du fait que son directeur régional au Québec est l'ancien chef du Equality Party – on peut comprendre que M. Michaud ait pu en venir à la conclusion que le B'nai Brith, en dépit de son excellent travail, soit devenu anti-francophone et anti-souverainiste[39].

Que savaient les députés ?

Mais les députés, eux, que savaient-ils des « propos » incriminés ?

En mars 2001, trois mois après la motion du 14 décembre 2000, Michaud leur adresse une lettre[40] et leur pose les trois questions suivantes :

1. Avant de voter la motion, aviez-vous pris connaissance de la nature exacte de mes propos tenus devant la Commission des États généraux sur la

39. *Le Devoir*, 28 décembre 2000.
40. http://www.vigile.net/spip.php?page=archives&u=http://archives.vigile.net/ds-michaud/docs/01-3-14-michaud.html.

situation et l'avenir de la langue française au Québec ?

2. Dans l'affirmative, pouvez-vous me citer le ou les propos « inacceptables » qui ont justifié votre vote au moment précis où vous l'avez enregistré ?
3. Dans la négative, pourquoi n'avez-vous pas demandé au président de l'Assemblée nationale que les auteurs de la motion précisent la nature exacte des propos « inacceptables » qui ont fait l'objet de la motion ?

Une seule députée lui répond, son ancienne collègue Rita Dionne-Marsolais, ex-déléguée du Québec à New York :

> [...] puisque vous insistez, sachez que j'avais pris connaissance d'une partie de vos propos. De plus, pour moi c'est la légèreté avec laquelle vous avez parlé de la question de l'holocauste qui pouvait paraître troublante pour un candidat déclaré. Enfin, le vote a été demandé tout de suite et n'a laissé le temps pour aucune intervention.

Le 20 mars 2001, Michaud lui répond :

> Pourriez-vous être plus explicite et me citer la partie exacte des propos en référence ? Il y a quatre mois que je pose la même question aux députés, aux journalistes, commentateurs, détracteurs, et je ne reçois que des réponses vagues et évasives du genre de la vôtre. Vous dites que j'ai parlé avec « légèreté » de l'Holocauste.

Je n'ai jamais, jamais, jamais, parlé ni écrit sur l'Holocauste. Lorsque vous affirmez cela, vous vous faites l'écho d'interprétations vicieuses, erronées, malicieuses, dont certains se sont servis de cette monstruosité historique pour salir ma réputation et me déshonorer. Utiliser cette barbarie comme fonds de commerce et l'exploiter à des fins bassement partisanes est un acte abominable dont vous ne semblez pas mesurer les conséquences. Légèreté, dites-vous ? Prouvez-le par une ou des citations exactes de mes propos. Le mot « juif » est prononcé une seule fois devant les États généraux pour dire toute mon admiration devant ce peuple[41].

C'est en prétendant que Michaud avait parlé de l'Holocauste aux États généraux que l'Assemblée l'a unanimement condamné, et que le premier ministre Bouchard l'a stigmatisé par la suite. (On ne pouvait tout de même pas donner l'impression de sanctionner des querelles de corridor entre militants excités ou un « tirage de pipe » entre vieilles connaissances au « salon de barbier » !) Mais le principal instigateur de l'affaire Michaud, Robert Libman, est venu contredire cette prétention dans une entrevue accordée à *Voir* en mars 2001 :

Depuis le déclenchement des événements, la parole de monsieur Michaud a été déformée de façon

41. Cet échange a aussi été publié sur le site de Vigile. http://www.vigile.net/spip.php?page=archives&u=http://archives.vigile.net/ds-michaud/docs/01-3-20-michaud.html.

> incroyable. Les gens l'accusent de minimiser l'Holocauste, alors qu'il n'a jamais fait ça. On l'accuse aussi d'être antisémite. Moi, je pense qu'il ne l'est pas[42].

Une façon de prendre ses distances après avoir mis le feu aux poudres ? Il ajoute aussi :

> On n'a jamais demandé un vote de blâme à l'Assemblée nationale ; tout cela nous a étonnés énormément.

Il n'était pas le seul[43].

---

42. Georges Boulanger, « B'nai Brith va-t-elle trop loin ? », *Voir*, 1er mars 2001, p. 6. Nous n'avons pas trouvé d'entrevues avec Robert Libman ou le sénateur Kolber ailleurs dans les médias francophones.
43. Qu'est-ce que Michaud a dit et où ? Il y aurait un fort volume à écrire sur les erreurs commises, sur ces questions, par les médias et les observateurs qui n'ont pas lu les textes et les propos de Michaud et qui se sont fiés à la rumeur. Dans sa biographie de Landry (p. 377), Michel Vastel écrit que Michaud a illustré son propos sur le vote ethnique en relatant une conversation avec le sénateur Kolber et qu'il a repris le thème de cet échange (une comparaison entre le drame palestinien et l'Holocauste) devant la Commission des États généraux, deux informations inexactes.

Une motion sans précédent

In politics, precedents not only serve as guides for subsequent action, they also provide standards against which that action will be compared and judged.

The National Assembly might have created such a precedent on Thursday, when it unanimously passed a motion denouncing opinions expressed by a private citizen. [...]

This might be the first time the Assembly has condemned an individual by name for a statement other than one it considered an attack upon either its own privileges or the reputation of one of its members. [...]

It will be interesting to see where the Assembly eventually redraws the line it apparently crossed this week.

DON MACPHERSON, *The Gazette*, 16 décembre 2000

LE 14 DÉCEMBRE 2000, les journalistes se demandaient naturellement s'il y avait des précédents à la motion contre Yves Michaud. Ce dernier plaidait qu'il n'y en avait pas, mais le président de l'Assemblée s'empressa de le contredire :

Je me rappelle d'un de vos collègues (le journaliste André Pratte) qui a été blâmé pour avoir écrit un livre (*Le syndrome de Pinocchio*) sur notre métier. On ne l'a pas plus entendu avant de le blâmer[1].

L'affaire Pratte

Le cas Pratte sera invoqué souvent par la suite pour justifier *a posteriori* l'intervention de l'Assemblée nationale, chacun citant le « précédent » sans se soucier d'en vérifier le fondement. Or, vérification faite dans les *Procès-verbaux de l'Assemblée nationale*, il n'y a jamais eu de motion de blâme contre André Pratte en 1997, ni avant ni après. L'affaire qui porte son nom tient de la légende et, comme toute légende, part d'un incident réel[2].

Inspiré par des extraits d'un livre annoncé pour le 17 mars 1997 (*Le syndrome de Pinocchio* par André Pratte au Boréal), l'animateur Benoît Johnson choisit le mensonge en politique comme sujet de son émission *Un jour à la fois*. Pour pimenter l'affaire, il lance un concours où les téléspectateurs doivent lui dire « qui est le politicien le plus menteur ». À compter du 6, la question roule en ondes tous les jours en vue de l'émission qui a lieu le 17, sur les ondes de TVA, avec la participation de plusieurs personnes,

1. Cité par Michel Corbeil, *Le Soleil*, 16 décembre 2000.
2. Michèle Ouimet a relaté cette affaire dans « Les excuses de TVA : l'autopsie d'un mea culpa », *30* (*Bulletin de la Fédération professionnelle des journalistes du Québec*), mai 1997.

dont l'auteur André Pratte. Le lendemain, le chef de l'Opposition, Daniel Johnson, annonce qu'il déposera une motion de blâme à l'Assemblée nationale, ce qu'il fait le 19. Adoptée sans vote nominal[3], la motion se lit comme suit :

> QUE les membres de cette Assemblée déplorent[4] les propos, le thème et les procédés de l'émission « Un jour à la fois », diffusée au réseau TVA le 17 mars 1997, lesquels discréditaient l'ensemble des hommes et des femmes élus et candidats à tous les niveaux de gouvernement, scolaire et municipal, provincial et fédéral.

À TVA, c'est la crise. Le vice-président de l'information et des affaires publiques du réseau TVA, Marc Blondeau, veut que des excuses soient présentées, ce qu'il fait lui-même le vendredi, reconnaissant « que la formulation de la question [...] et l'idée d'en faire une sorte de palmarès n'étaient pas la meilleure façon de provoquer le débat sur cette question ». Pendant ce temps, au Boréal, on se frotte les mains : la motion de blâme a propulsé *Le syndrome de*

---

3. Mario Dumont a émis des réserves (il avait participé à l'émission !) mais n'a pas demandé d'inscrire sa dissidence au procès-verbal. En fait, comme le démontre la transcription des débats, Mario Dumont a été distrait, semble-t-il, au moment où le président a demandé s'il y avait consentement à la présentation de la motion sans préavis et il s'est levé trop tard pour s'y opposer, Daniel Johnson ayant commencé son intervention.
4. On aura noté que les députés « déplorent » et ne dénoncent pas.

Pinocchio à la tête des succès de librairie, avec un habile bandeau de dernière minute : « Le livre qui a fait réagir l'Assemblée nationale. » L'éditeur aurait sûrement aimé dire que l'Assemblée l'avait condamné mais il contribua néanmoins à la construction de la légende : trois ans plus tard, dans l'imaginaire de nombreux Québécois, Pratte avait été blâmé par l'Assemblée.

L'affaire D'Iberville Fortier

Dans la déclaration ministérielle « avortée » de décembre 2002 (il en sera question plus loin), le leader parlementaire du gouvernement, André Boisclair, citait un autre précédent, aussi invoqué par plusieurs journalistes, soit le cas de D'Iberville Fortier[5]. Voilà une autre affaire dont on a retenu les grandes lignes, sans trop se préoccuper des détails. Elle s'est produite en 1988. Lors du dépôt de son rapport annuel à titre de commissaire aux langues officielles du Canada, D'Iberville Fortier dénonce la « situation humiliante » faite aux anglophones du Québec par la Charte de la langue française (communément appelée loi 101). Il écrit d'ailleurs dans son rapport que « le salut du français, au Québec comme ailleurs, passe sûrement par l'affirmation de son poids démographique, de sa vitalité culturelle

5. Voir la déclaration reproduite dans *Le Devoir* du 10 janvier 2003.

et de son pouvoir d'attraction, plutôt que par l'humiliation de sa rivale[6] ».

Pour Robert Bourassa, ces propos sont « irréalistes et irréfléchis[7] ». Le 23 mars, Guy Chevrette, alors chef de l'Opposition officielle propose, sans préavis, une motion qui est débattue, amendée et finalement adoptée sous la forme suivante :

> Que cette Assemblée nationale dénonce vigoureusement les propos tenus par le Commissaire aux langues officielles du Canada au sujet de la minorité anglophone du Québec et lui demande de s'expliquer ; et
>
> Que l'Assemblée nationale réaffirme qu'elle a toujours exercé la compétence linguistique qui est la sienne de façon tout à fait démocratique de manière à assurer la survie de la collectivité francophone et à endiguer la menace d'anglicisation.

Encore une fois, l'imaginaire a retenu que la motion blâmait D'Iberville Fortier. En réalité, l'Assemblée a dénoncé une institution fédérale, le commissaire aux langues officielles du Canada.

---

6. Commissaire aux langues officielles, *Rapport annuel*, 1987, p. 9.
7. Marie Tison, « "Le Québec humilie les Anglo-Québécois" - le Commissaire aux langues officielles », *La Presse*, 23 mars 1988, p. A-1, A-2.

Les outrages au Parlement

En somme, ces deux motions n'ont aucune pertinence avec le cas Michaud, un *citoyen* (quelle qu'ait été sa notoriété) visé *nommément* pour ses opinions *personnelles*. Et elles ont d'autant moins de pertinence que, dans les deux cas, elles constituaient une réaction légitime à une attaque contre l'Assemblée et ses membres. Peut-être a-t-elle eu l'épiderme un peu sensible : on la voit mal déballer son arsenal contre tous ceux qui ont dénigré la loi 101 et tous les humoristes dont le fonds de commerce est de se moquer des « parlementeries » ? Il demeure que le Parlement était justifié de défendre son honneur et sa législation, comme il est justifié de sanctionner les « atteintes aux privilèges du Parlement » ou les « outrages au Parlement », des offenses dont on peut mesurer la variété en examinant la liste des cas survenus depuis 1792 :

- 1793 : les personnes responsables de l'arrestation du député Young pendant la session doivent s'excuser ;
- 1808 : un huissier qui avait signifié une poursuite au député Foucher est gardé un jour et libéré après s'être excusé ;
- 1817 : un protonotaire qui avait refusé de produire des documents devant un comité est gardé un mois et libéré à la prorogation ;
- 1817 : l'avocat Lacroix est emprisonné pour faux témoignage devant un comité ;

- 1832 : Ludger Duvernay et Daniel Tracey sont amenés à la barre du Conseil législatif et incarcérés jusqu'à la fin de la session pour avoir déclaré que ce conseil était « peut-être la plus grande nuisance que nous ayions » ;
- 1835 : le percepteur de douanes Jessop est trouvé coupable de désobéissance à un ordre de l'Assemblée ;
- 1835 : le journaliste Aubert de Gaspé fils fait un mois de prison après avoir menacé un député ;
- 1836 : un mandat est émis en vain contre le même de Gaspé qui a lancé une bombe puante dans la salle des séances ;
- 1850 : le journaliste Ure est réprimandé pour avoir, de la tribune de la presse, interpellé cavalièrement le député Christie ;
- 1854 : l'avocat Gleason doit faire des excuses au député Casault qu'il a provoqué en duel ;
- 1866 : l'éditeur Gérin-Lajoie est réprimandé pour avoir frappé le député Dorion et gardé en prison quelques jours ;
- 1875 : trois témoins qui refusaient de comparaître devant un comité d'enquête sont arrêtés et l'un d'eux est emprisonné une journée pour refus de témoigner ;
- 1922 : le journaliste Roberts est mis en prison pour un an après avoir refusé de donner des précisions sur un article où il laissait entendre que des députés étaient impliqués dans une affaire de meurtre ;

- 1976 : un avocat qui avait signifié une injonction visant à empêcher un député de présenter un projet de loi privé comparaît devant la Commission de l'Assemblée nationale mais l'enquête n'aboutit pas à cause de la fin de la session et des élections ;
- 1982 : l'Assemblée réprouve les actes commis par des manifestants qui ont perturbé les travaux de la commission qui étudiait la fusion Baie-Comeau–Hauterive et transmet le dossier au procureur général.

L'affaire Roberts, en 1922, a marqué un tournant. Ce journaliste avait laissé entendre que l'enquête sur le meurtre de Blanche Garneau ne progressait pas parce que des députés étaient impliqués. Amené à la barre de la Chambre, il avait refusé de préciser ses accusations et, pour éviter que la peine d'emprisonnement prévue à la Loi de la Législature ne prenne fin avec la session, les parlementaires ont modifié la loi pour créer une peine (rétroactive) d'un an. Cette réaction abusive du Parlement a causé un certain traumatisme et, dans la refonte de la Loi de la législature, en 1982, l'Assemblée a choisi de se départir de son pouvoir de punir ceux qui portent atteinte à ses droits et privilèges[8].

---

8. Gaston Deschênes, « Outrages et privilèges », *Le Parlement de Québec, histoire, anecdotes et légendes*, Sainte-Foy, MultiMondes, 2005, p. 144 et ss.

Ces histoires d'outrages au Parlement peuvent sembler hors sujet mais la procédure traditionnelle pour en disposer nous ramène au cas Michaud. Elle est prévue aux articles 324 et suivants du Règlement de l'Assemblée nationale :

> 324. Tout député peut, par motion, mettre en question la conduite d'une personne autre qu'un député qui aurait porté atteinte aux droits ou aux privilèges de l'Assemblée ou de l'un de ses membres.
>
> Il doit d'abord signaler une violation de droit ou de privilège, puis annoncer son intention de présenter une motion.
>
> 325. L'Assemblée se prononce sur la motion. Elle peut convoquer au préalable la Commission de l'Assemblée nationale pour examiner l'affaire. [...]
>
> 326. Si le reproche est fondé, le mis en cause est passible de la sanction que décide l'Assemblée en tenant compte, le cas échéant, des recommandations de la commission.

Il tombe sous le sens que cette procédure, qu'on trouve sous le titre « Intégrité du Parlement et de ses membres » (titre VI), n'a pas été conçue pour sanctionner les opinions de citoyens sur le comportement des électeurs et la souffrance des peuples opprimés. Il n'en existe pas d'autre. Et pour cause.

La liberté de parole : épée ou bouclier ?

Les parlementaires qui invoquaient leur « liberté d'expression » en décembre 2000 avaient changé de registre, à la fin d'août 2001, dans la discrétion d'une séance de la Commission de l'Assemblée nationale qui a échappé aux observateurs. Chez le leader parlementaire du gouvernement, comme à la présidence, on s'était rendu compte, en y mettant la réflexion qui avait manqué en décembre, que le Parlement du Québec avait innové :

> M. Brassard [leader du gouvernement] : on a regardé un peu ce qui se faisait ailleurs, dans d'autres Parlements de type britannique, et on a posé la question : Est-ce qu'il y a ce genre de motion là qui est adoptée dans vos Parlements, c'est-à-dire une motion qui blâme quelqu'un qui n'est pas dans le Parlement, qui est en dehors du Parlement, qui le blâme soit pour ses propos ou pour ses déclarations, pour sa conduite ? Et la réponse a été négative partout. [...] tous nous ont dit qu'ils avaient des dispositions semblables à celles qu'on a dans notre règlement, lorsqu'il y a une atteinte aux droits et privilèges de l'Assemblée ou d'un de ses membres par quelqu'un en dehors de la Chambre qui, par ses propos ou ses déclarations, ou des pressions indues, ou des menaces, met en cause les droits et privilèges de l'Assemblée. [...] je tenais à savoir ce qui se passait ailleurs, dans d'autres Parlements de type britannique, et on en a

contacté un bon nombre. Je sais pas si vos services sont en mesure de répondre à cette question-là, mais, partout, dans tous les Parlements, la réponse a été négative. Là, on n'adopte pas ce genre de motion là, de motion de blâme à l'égard de quelqu'un. [...]

Le Président (M. Charbonneau) : Moi, ce que j'ai comme information – puis M. Duchesne [le secrétaire général] pourra me corriger, là – les vérifications qu'on avait faites il y a déjà un certain temps – au Canada, hein – c'est que finalement il y avait pas d'expériences où des motions auraient été faites, de cette nature-là, avaient été présentées et votées, mais il y avait pas de prohibition non plus, c'est-à-dire qu'il y avait pas d'interdit. [...][9].

Le privilège de la liberté de parole a été établi en Angleterre par le Bill of Rights de 1689 : « the freedom of speech and debates or proceedings in Parliament ought not to be impeached or questioned in any court or place out of Parliament » (« la liberté de parole et les débats ou délibérations du Parlement ne peuvent être entravés ni mis en cause devant aucun tribunal ni ailleurs hors du Parlement »). Il s'agissait alors de protéger les députés contre les souverains trop sensibles à la critique ou vindicatifs. Cette immunité a par la suite permis aux députés de faire leur travail au Parlement sans s'exposer à des poursuites ou à des représailles de la part du

---

9. *Journal des débats*, Commission permanente de l'Assemblée nationale, le jeudi 30 août 2001.

gouvernement, des entreprises ou des citoyens. Il s'agit donc d'un privilège justifié par la nécessité de protéger les représentants du peuple contre les interventions extérieures et non d'une licence pour censurer les citoyens. C'est essentiellement un bouclier et non une épée[10].

« Est-ce que c'est le rôle de l'Assemblée nationale que de commenter ce qui se fait dans une émission et l'autre, ce qui se dit sur les différentes ondes ? » La question est posée par Mario Dumont dans le débat sur la motion présentée par Daniel Johnson fils en mars 1997. Michel Venne abondait dans le même sens en décembre 2000[11] :

> Si les parlementaires commencent à jouer ce jeu, ils n'ont pas fini d'adopter des résolutions. Le nombre des citoyens indignes de s'ouvrir la bouche risque de déborder sur une liste d'attente de tous ceux qui

---

10. Sur cette question, voir Charles Robert et Vince MacNeil, « Shield or sword ? parliamentary privilege, *charter* rights and the rule of law », *The Table* (Journal of the Society of Clerks-at-the-Table in Commonwealth Parliaments), 75, 2007, p. 17-38.
11. *Le Devoir*, 16 décembre 2000. En 1992, un livre de Mordecai Richler, *Oh Canada ! Oh Quebec !*, provoque de vives réactions au Parlement fédéral. Gilles Duceppe dénonce Richler comme un « artisan du racisme » et sa collègue Pierrette Venne demande au gouvernement de bannir ce livre qui incite à la haine mais le chef du Bloc, Lucien Bouchard, prend ses distances estimant (cette fois) que c'est à l'opinion publique de juger (Reinhold Kramer, *Mordecai Richler*, Montréal, McGill-Queen's University Press, 2008, p. 326-327). Il figurera néanmoins dans l'ouvrage suivant de Richler sous le nom de « Dollard Redux ».

comparent le premier ministre à Hitler, qualifient le gouvernement de fasciste et les inspecteurs de l'Office de la langue française de SS. Les politiciens eux-mêmes ne seraient pas à l'abri. Qu'aurait dit la vénérable assemblée au sujet de Lucien Bouchard qui, lors de la campagne électorale de 1998, fit subtilement un lien entre Jean Charest, Margaret Thatcher et Augusto Pinochet ?

Encore faudrait-il que l'Assemblée se fasse UNE opinion ? Les députés ne peuvent faire l'unanimité qu'en se liguant contre un courant de pensée qui n'est pas représenté au Parlement. Ce dernier se mettra-t-il à distribuer les blâmes à la majorité simple ? Ou avec une majorité qualifiée des deux tiers ou des trois quarts ? Il n'y arrivera encore qu'en niant la liberté d'expression des minorités. À moins qu'il ne procède selon la tête du client, son statut ou sa notoriété ?

Avant de réussir à faire blâmer Michaud, l'Opposition officielle avait fait quelques tentatives du même genre contre des souverainistes. Le 17 octobre 1996, Daniel Johnson avait présenté une motion sans préavis contre le militant Raymond Villeneuve :

> Que cette Assemblée déclare que les récents propos de Raymond Villeneuve du Mouvement de libération nationale du Québec à l'endroit des Juifs anglophones sont des propos d'intolérance qui représentent l'excès le plus répugnant possible dans une société libre et démocratique et que cette

> Assemblée invite la collectivité québécoise à condamner de tels propos.

Le Parti québécois avait alors essayé de faire amender cette motion pour inclure les propos de l'animateur de radio Howard Galganov contre les nationalistes et la motion n'avait pas été débattue.

À trois reprises, pendant cette même session, des députés libéraux ont présenté des motions visant Jacques Parizeau :

> [Christos Sirros, le 27 mars 1996 :] Que cette Assemblée se dissocie formellement et condamne les propos tenus par l'ex-premier ministre du Québec, M. Jacques Parizeau, le soir du référendum, concernant le résultat référendaire et les ethnies.

> [Norman MacMillan, le 13 mai 1997 :] Que l'Assemblée nationale dénonce les propos de M. Jacques Parizeau de lundi passé qui préconisent l'exclusion à l'endroit des anglophones et des communautés culturelles, propos s'inscrivant la semaine dernière dans sa déclaration du 30 octobre 1995.

> [Christos Sirros, le 26 novembre 1997 :] Que cette Assemblée et tous ses membres expriment à l'ancien premier ministre du Québec, M. Jacques Parizeau, leur rejet formel du blâme incendiaire et accusatoire qu'il persiste à répéter quant à la responsabilité des soi-disant groupes ethniques pour la défaite du Oui au référendum d'octobre 1995 et assurent tous les Québécois, quelle que soit leur origine, de leur droit

plein et entier de défendre et de promouvoir leurs opinions politiques sans menace directe ou indirecte.

Chaque fois, le Parti québécois a refusé de donner son consentement pour que soient débattues ces motions, qui sont d'ailleurs passées à peu près inaperçues.

Dans le cas d'Yves Michaud, même des observateurs qui sont très loin de partager l'option politique du « Robin des banques » ont sonné l'alarme, comme Lysiane Gagnon[12] :

> Si cela devait devenir une habitude, il y aurait lieu de s'inquiéter pour la liberté d'expression au Québec. Hier, le président de l'Assemblée nationale, Jean-Pierre Charbonneau, tentait de minimiser l'impact du vote en disant que l'organisme n'était « qu'un forum parmi d'autres ». Faux. L'Assemblée nationale représente le bras législatif de l'État. Et l'idée que l'État puisse ainsi s'en prendre à des citoyens qui se sont prévalus de leur liberté de parole a de quoi donner froid dans le dos.
>
> [...] à partir du moment où tous les élus se liguent contre un citoyen, ce dernier redevient un individu isolé devant l'État, sans même bénéficier des moyens de défense que le système judiciaire accorde à tout accusé.

---

12. *La Presse*, 16 décembre 2000.

S'il était normal que le Parlement sanctionne les opinions des citoyens, il n'aurait pas attendu Yves Michaud pour le faire. Le Québec a eu ses extrémistes, des vrais, fascistes, subversifs, racistes, terroristes, mais on ne trouve aucune trace d'une condamnation semblable à celle d'Yves Michaud dans ses annales parlementaires. Le Parlement français a-t-il déjà censuré Le Pen, le Parlement britannique, les extrémistes islamistes, les parlementaires australiens, les néo-nazis ? Le Québec, comme tous les pays civilisés, a des lois pour sanctionner les propos haineux, diffamatoires ou subversifs, et des tribunaux pour s'en occuper. Si des propos ne justifient pas de poursuites civiles ou criminelles devant les tribunaux ordinaires, comment pourraient-ils devenir assez graves pour mobiliser la plus haute institution de l'État[13] ?

---

13. En décembre 2002, le chef David Ahenakew s'adresse à une assemblée amérindienne couverte par James Parker, du *Saskatoon StarPhoenix*. Ahenakew fait notamment référence aux « goddam immigrants » et aux Juifs. Après la conférence, le reporter lui demande de préciser sa pensée. Ahenakew explique que, pendant la guerre, les Allemands « told him the Jews had provoked the war ». « The Jews damn near owned all of Germany prior to the war. That's why Hitler came in. He was going to make damn sure that the Jews didn't take over Germany, or even Europe. That's why he fried six million of those guys, you know. Jews would have owned the goddamned world. » ("Ex-First Nations head acquitted in hate trial", http://www.thestar.com/news/canada/article/591647) Prié de dire comment il pouvait justifier l'Holocauste, Ahenakew ajoute : « How else do you get rid of a disease like that… » Aucun Parlement canadien n'a condamné Ahenakew. Il fut poursuivi devant les tribunaux et… acquitté.

De l'anecdote à la crise

Le conflit entre le militant péquiste Yves Michaud et l'organisation juive B'nai Brith s'envenime, l'un traitant l'autre de dinosaure et l'autre ripostant par des épithètes d'anti-Québécois et d'extrémistes.

LIA LÉVESQUE, *Presse canadienne*, 14 décembre 2000

[...] qu'est-ce que j'ai fait, sinon que de me trouver interpellé par un problème très grave qu'a créé M. Michaud par ses propos ?

LUCIEN BOUCHARD, cité par *Le Devoir*, 21 décembre 2000

I don't remember having that conversation in a barber shop. I'm not saying he didn't say it. I simply don't remember it [...].

SÉNATEUR LEO KOLBER, cité par *The Gazette*, 21 décembre 2000

AVERTI PAR UN JOURNALISTE DE TVA de la présentation imminente d'une motion contre lui, Yves Michaud est incapable de joindre qui que ce soit au parlement et c'est devant son téléviseur, en compagnie du journaliste Michel Vastel[1], qu'il voit les députés se lever tour à tour pour le condamner. Il s'adresse au président de l'Assemblée nationale pour être entendu et donner son point de vue, mais ce dernier ne peut que transmettre le message aux leaders, non sans exprimer l'avis que Michaud n'a « aucun droit d'exiger d'être entendu par les parlementaires[2] » et sortir de sa réserve sur un ton particulièrement tranchant : « Quand on participe au débat public, il y a des risques de se faire blâmer, juger, critiquer, évaluer. Sinon, on se tait et on fait les choses en dehors de la scène publique[3]. »

Michaud demande d'être entendu

N'obtenant pas de réponse, Michaud adresse une lettre ouverte aux députés « comme à l'ultime gardien des valeurs démocratiques et de la liberté d'expression » :

> La motion de blâme votée le 14 décembre 2000 à mon endroit est sans précédent dans les annales de notre droit. Le code pénal prévoit des sanctions pour des propos relevant de la littérature haineuse, de la diffamation ou de l'atteinte à l'intégrité des personnes

1. Michel Vastel, « Soudain, le téléphone sonna chez Yves Michaud... », *Le Soleil*, 15 décembre 2000.
2. Cité par *Le Soleil*, 16 décembre 2000.
3. Cité par *Le Devoir*, 16 décembre 2000. « [...] risques de se faire blâmer, juger, critiquer, évaluer » : le commentaire pouvait s'adresser aussi au B'nai Brith.

> physiques ou morales. Je crois, je persiste et je signe, que les opinions que j'ai pu exprimer n'enfreignent pas la Loi. L'Assemblée nationale n'est pas un tribunal habile à se prononcer sur des opinions exprimées librement par un citoyen ou une citoyenne. Il appartient seul au pouvoir judiciaire d'en disposer.
>
> La motion de blâme à mon égard, en violation des principes élémentaires du droit, discrédite l'Assemblée nationale qui s'est constituée en tribunal d'exception pour honnir un citoyen qui a le droit à son honneur, à sa réputation et à sa dignité. Elle offense à travers ma personne tous les citoyens et citoyennes du Québec dans leur liberté d'expression.
>
> En l'occurrence, j'espère que ma requête d'audition recevra votre agrément de sorte que réparation puisse être faite dans les plus brefs délais des atteintes à ma réputation et aux préjudices que j'ai subis. Si tel ne devait pas être le cas, je me verrai dans l'obligation de m'adresser à d'autres instances pour que réparation soit faite et que justice me soit rendue[4].

Par la voix d'un adjoint, le leader du gouvernement, Jacques Brassard, laisse entendre qu'il ne prendrait pas l'initiative d'inviter Michaud à s'expliquer et il lui adresse une lettre[5] où il énonce le droit des députés « de se prononcer sur tous les aspects de la vie en société ».

---

4. http://faculty.marianopolis.edu/c.belanger/quebechistory/docs/michaud/21.htm. Lettre du 18 décembre.
5. Cette lettre sera publiée notamment dans *La Presse* du 19 décembre 2000.

Les députés le font en adoptant des lois, en tenant des débats ou en adoptant des motions. L'Assemblée nationale n'est pas un tribunal. Elle est toutefois certainement habile à se prononcer sur des déclarations qu'elle considère inacceptables.

Personne n'a assimilé vos propos à de la littérature haineuse, de la diffamation ou une atteinte à l'intégrité des personnes physiques ou morales, comme vous le laissez croire. Les députés les ont condamnés comme inacceptables.

Vous indiquez aussi que la décision de l'Assemblée nationale s'en prend à votre liberté d'expression et à celle de tous les Québécois. Je m'inscris en faux contre cette assertion. La motion de l'Assemblée ne vise pas votre personne mais vos propos[6]. Elle n'emporte aucune sanction de la nature de celles imposées par un tribunal. Vous reconnaîtrez certainement aux députés et donc à l'Assemblée nationale le droit d'être et de se dire en profond désaccord avec vos opinions. La liberté d'expression n'est pas à sens unique.

Il en va ici de l'essence même du débat public et de la discussion politique. Je me permets de souligner que vous êtes, depuis quelques semaines, un acteur politique. Vous êtes candidat déclaré à l'investiture du Parti Québécois du comté de Mercier. Vos propos publics s'inscrivent donc dans le débat politique et prennent une portée autrement plus considérable que

---

6. Il est difficile d'imaginer comment des propos « jugés antisémites », selon une expression qui sera largement utilisée par la suite, peuvent être exprimés par quelqu'un qui ne l'est pas…

dans le cas d'un citoyen qui n'aspire pas à siéger à l'Assemblée nationale.

Le leader décline ensuite les propos qui auraient justifié la condamnation de Michaud par l'Assemblée nationale en commençant par l'échange avec le sénateur Kolber (qui n'était pourtant pas visé par la motion concernant des propos tenus aux États généraux sur la langue). D'après la lecture qu'en a faite le leader, Michaud aurait alors « évoqué un lien, à la fois gratuit et injustifiable, entre l'avènement d'un Québec souverain et les souffrances du peuple juif », ce qui ne correspond en rien à l'intention de Michaud qui comparait la durée de la lutte pour un Québec souverain avec le temps bien plus considérable qu'il a fallu aux Juifs pour se donner une patrie. Jacques Brassard exprime ensuite l'avis que ces propos « tendent à banaliser le plus grand crime de l'histoire contemporaine et à prêter aux Juifs une obsession de l'holocauste », alors que ce dernier thème n'a jamais été évoqué par Yves Michaud[7]. La

7. Michaud réagira à cette affirmation de Brassard dans un communiqué dont fera état *La Presse* du 20 décembre et qui sera publié sur le site de Vigile : « L'interprétation que fait M. Jacques Brassard dans la lettre qu'il m'a fait parvenir hier soir, voulant que j'aie voulu "banaliser l'holocauste" est erronée, tendancieuse, vicieuse et fausse. Elle suinte une basse manœuvre politicienne visant à me discréditer dans l'opinion publique, à salir ma réputation, à porter atteinte à mon honneur et à ma dignité. Dans l'histoire de l'humanité, l'holocauste est l'exemple le plus monstrueux, unique, de la barbarie d'un État à l'égard d'un peuple dont on a programmé l'extinction. Cela dit, il

lettre rappelle ensuite le qualificatif accolé au B'nai Brith (« phalange extrémiste du sionisme mondial »), sans commentaire sur sa pertinence.

« Vous reconnaîtrez, fait-il remarquer à Michaud, que les réactions du gouvernement à votre première envolée ont été on ne peut plus pondérées ». Le premier ministre Bouchard avait effectivement jugé que ces propos étaient « mal avisés » mais que l'intervention du Conseil national dans le processus d'investiture ne se justifiait que « dans une situation d'extrême gravité [...], ce qui n'est pas le cas, à la lecture même du communiqué [du B'nai Brith] ».

La situation aurait changé le lendemain, après le témoignage de Michaud aux États généraux, s'il faut se fier à cette missive du leader du gouvernement :

> Le lendemain, à l'occasion de votre passage aux États généraux sur la langue, vous êtes revenu sur le sujet, cette fois-ci en en remettant, notamment sur la manifestation « d'intolérance » que constituerait « un vote ethnique contre la souveraineté du peuple québécois. » Je me permets de citer quelques-uns de vos propos, tels que rapportés par les médias :
>
> (Parlant du vote référendaire dans Côte-Saint-Luc) Aucun oui, 2275 non. Il n'y a même pas un étudiant égaré, un aveugle qui s'est trompé. C'est l'intolérance 0.

---

n'exclut pas la souffrance horrible de d'autres peuples victimes de génocide et de cruauté de la part d'États oppresseurs. »

> Pis il y en a douze comme ça jusqu'à 2075, là je me dis que l'on doit se poser des questions sur notre capacité d'intégration de ceux-là qui massivement, c'est l'intolérance zéro vis-à-vis, il y a un vote ethnique contre la souveraineté du peuple québécois.
>
> Je ne retirerai pas un mot de ce que j'ai dit [...] [Les membres du B'nai Brith sont] des extrémistes anti-québécois et anti-souverainistes.

Cette partie de la lettre, qui fait référence essentiellement aux textes des journaux (et non à la transcription officielle), mérite plusieurs commentaires. Michaud n'est pas revenu, aux États généraux, « sur le sujet » abordé avec Kolber. On a déjà noté que la transcription officielle ne contient rien sur la souffrance des peuples, l'Holocauste ou B'nai Brith. Si la première citation (sur le vote) rapportée par le leader est bien dans la transcription officielle du témoignage de Michaud, la troisième (sur B'nai Brith) y est complètement étrangère ; quant à la deuxième, on ne la trouve pas textuellement dans la transcription, bien que certains de ses mots y soient présents. Il est possible que le leader ait tiré cette citation d'un compte rendu journalistique, ce qui illustre encore une fois comment le Parlement s'est appuyé sur des « preuves » plus que douteuses, si tant est qu'il en a examiné avant de se prononcer.

L'intervention de Parizeau

Le jour où la lettre du leader parlementaire du gouvernement est publiée, trente-deux personnalités publiques, dont l'ancien premier ministre Jacques Parizeau, l'ancien ministre péquiste Denis Lazure, les écrivains Yves Beauchemin, Jean-Claude Germain, Hélène Pednault, Hélène Pelletier-Baillargeon et Fernand Ouellet, les artistes Marcelle Ferron et Gilles Tremblay, le député bloquiste Yves Rocheleau, Nicole Boudreau et Jean Dorion, ex-présidents de la Société Saint-Jean-Baptiste de Montréal (SSJBM), Fernand Daoust, ancien président de la Fédération des travailleurs du Québec (FTQ), Jean-Marc Léger, journaliste, etc., se portent à la défense de Michaud dans un placard publicitaire publié notamment dans *Le Devoir*:

> Par un acte sans précédent véritable dans l'histoire parlementaire du Québec (et apparemment dans la plupart des parlements des pays démocratiques d'Occident), l'Assemblée nationale a condamné, le 14 décembre 2000, sans l'entendre, un citoyen pour des propos qu'il aurait tenus à l'occasion des audiences de la Commission des États Généraux sur la langue française. En vertu de quelle loi, au nom de quel droit et selon quels critères? On aurait envie d'ajouter: à quelles fins?
>
> Nous, soussignés, estimons qu'il y a là à la fois un véritable détournement de la mission de l'Assemblée nationale, une atteinte grave aux droits et libertés des

citoyens et une violation de la Charte qui les consacre, un acte flagrant d'injustice et une manifestation stupéfiante d'arbitraire, dont tout citoyen peut désormais redouter d'être victime. Une résolution de deux lignes, hâtivement rédigée, sans même que soient cités les propos incriminés, adoptée dans la précipitation : c'est pour le moins une formule expéditive ! [...]

De plus, l'Assemblée nationale, par sa consternante initiative, fait revivre, cautionne et consacre le délit d'opinion et l'on sait d'expérience jusqu'où cela peut conduire. Yves Michaud était condamné d'avance, avant même la comédie du vote par appel nominal : on était partagé entre l'incrédulité et l'indignation devant ce spectacle, devant l'approbation programmée de la condamnation, dans une unanimité aussi affligeante que suspecte. On approuvait sans l'ombre d'un débat, sans même que quelques élus aient eu un scrupule, se soient interrogés sur le bien-fondé de la condamnation, aient demandé qu'on entende au préalable l'accusé.

Nous avons assisté à un précédent d'une extrême gravité qui dépasse la personne d'Yves Michaud et la nature des propos qu'on lui prête : sont en cause des droits élémentaires des citoyens, leur liberté d'expression, la séparation des pouvoirs puisque le parlement joue les tribunaux, la mission et la dignité même de l'Assemblée nationale singulièrement mises à mal dans cette effarante et tragique mésaventure. Insensibles à la gravité de leur geste, inconscients des effets potentiels de leur initiative chez nous et même à l'étranger, nos parlementaires viennent d'assumer une grave responsabilité.

La motion de blâme était fondée sur « des propos inacceptables à l'égard des communautés ethniques et en particulier à l'égard de la communauté juive tenus par Yves Michaud à l'occasion des audiences des États Généraux sur le français ». Le « condamné » a eu, au contraire, des propos nettement élogieux à l'endroit du peuple juif mais au cours d'une entrevue, il a déploré l'attitude d'un organisme, le B'nai Brith, nullement représentatif de toute la communauté juive. Par ailleurs, Yves Michaud a souligné la nécessité et l'apport culturel de l'immigration, tout en rappelant qu'il y a, chez nous comme ailleurs, une sorte de contrat moral entre l'immigrant et la société d'accueil. Il a regretté le relatif échec de l'intégration d'un certain groupe d'immigrants et a rappelé le caractère du vote lors du référendum de 1995, dans plusieurs bureaux de votation où le « oui » fut inexistant. Que certaines personnes veuillent contester la pertinence de ce rappel, passe, mais on ne saurait nier la pénible réalité des faits.

Au-delà de la personne d'Yves Michaud, les véritables victimes de cette mauvaise action sont la liberté d'expression des Québécois, la distinction des pouvoirs (car il y a des lois et des tribunaux pour des propos haineux quand on estime que c'est le cas), l'autorité et la dignité de l'Assemblée nationale.

Mais la vive réaction de l'opinion publique, pleine de dignité, de santé et de bon sens, constitue un désaveu éloquent du geste humiliant de l'Assemblée nationale, dont il est urgent de restaurer l'autorité morale.

Autres réactions

Par la même occasion, une organisation appelée « Solidarité Yves Michaud » invite les personnes, groupes, associations, entreprises, syndicats, etc., « indignés du comportement méprisant de députés de l'Assemblée nationale à l'égard de l'un des citoyens les plus ardemment engagés depuis plusieurs décennies dans les luttes pour la justice sociale, pour les droits et libertés de tous et pour l'émancipation du Québec » à contribuer au combat pour la liberté d'opinion et d'expression.

Yves Michaud obtient d'autres appuis, sous forme de lettres ouvertes[8] ou de déclarations, dont celles de Gilles Duceppe, chef du Bloc québécois, qui émet des réserves sur certaines déclarations de Michaud mais déplore la motion : « Je ne suis pas heureux que l'Assemblée nationale ait agi ainsi [...]. L'Assemblée nationale n'a pas à jouer ce rôle-là. C'est aussi

---

8. Parmi les intervenants, l'ancien ministre Louis O'Neill (*Le Devoir*, 19 décembre 2000) qui écrit : « [...] si l'Assemblée nationale veut s'engager dans la voie de la rectitude politique, elle deviendra vite débordée de travail. Il faudrait, par exemple, dénoncer cet écrivain juif qui a comparé les mères canadiennes-françaises à des truies ; ou encore la campagne de dénigrement ourdie contre le grand historien Lionel Groulx, dont on voudrait effacer le souvenir au point de réclamer que soit débaptisée la station de métro qui porte son nom ; ou encore les détracteurs de la cause de la souveraineté qui ont comparé Lucien Bouchard à Hitler ; ou encore, ceux qui ont vu dans la Charte de la langue française l'amorce d'un nouvel Holocauste ».

dangereux que l'Assemblée nationale s'arroge le droit de distribuer des blâmes[9]. » On trouve même des bémols du côté des Juifs, comme chez Jack Jedwab, ancien président du Congrès juif canadien, qui n'est pas certain « que la meilleure façon de régler le dossier ait été ce vote de blâme. [...] M. Bouchard a profité de l'occasion pour régler un problème interne[10] ». « À quelles fins ? » C'est la question que plusieurs se posent effectivement. Jacques Parizeau l'aborde sans détour avec le représentant de la *Gazette* : « [...] some people in the PQ wanted to get rid of Michaud and stop him from seeking the party's nomination in the upcoming by-election in the riding of Mercier, but he said there are proper ways to do it, such as refusing to sign Michaud's nomination papers[11]. »

Toujours le 19 décembre, les deux leaders parlementaires conviennent de ne pas accorder de tribune à Michaud, mais Marie Malavoy annonce qu'il sera entendu par le Conseil exécutif national du Parti québécois s'il pose sa candidature dans Mercier. Dans l'après-midi, les députés péquistes consacrent leur caucus à cette affaire et les journalistes offrent une belle variété de qualificatifs pour les décrire à la sortie de la réunion : *wearing grim expressions*, « avec une mine d'enterrement », « sombre », « déconfite », les députés ne peuvent cacher leurs sentiments au

9. Cité par *Le Devoir*, 19 décembre 2000.
10. Cité par *Le Devoir*, 19 décembre 2000.
11. *The Gazette*, 19 décembre 2000.

terme des deux heures de débat. Une « bonne dizaine auraient fait état de leurs réserves à huis clos[12] » mais seulement trois admettent publiquement leur malaise. Absente au caucus, la députée de Vanier, Diane Barbeau, avait été la première[13] à faire des commentaires publics ; les choses se seraient passées autrement, à son avis, « si l'on avait eu le temps d'en discuter[14] ». La députée des Chutes-de-la-Chaudière, Denise Carrier-Perreault, avoue qu'elle ne s'est pas méfiée, car la motion était conjointe, et qu'elle ne « connaissait pas les propos [d'Yves Michaud] de façon très claire et très précise » lorsqu'elle a voté[15]. Enfin, dans un communiqué, le député de L'Assomption, Jean-Claude St-André, exprime son grand regret de ne pas s'être opposé au dépôt de la motion.

Échange Bouchard-Michaud

Reconnaissant que son parti est divisé, le premier ministre dit espérer que Michaud retire ses propos, des propos « d'une gravité extrême ». Selon le premier ministre, il s'est engagé sur un terrain dangereux « en comparant les souffrances subies par le peuple juif lors de l'Holocauste et les souffrances d'autres peuples pour faire un lien incongru avec

12. Michel David, *Le Soleil*, 21 décembre 2000.
13. *Le Devoir* dit « la veille » mais *La Presse*, « la semaine dernière ».
14. *Journal de Québec*, 20 décembre 2000.
15. *Ibid.*

l'avènement d'un Québec souverain[16] ». « On ne peut parler légèrement de ces choses. On ne peut surtout pas sembler reprocher aux Juifs de trouver qu'ils ont beaucoup souffert[17]. » Lucien Bouchard accuse aussi Michaud d'avoir « ressuscité le spectre du vote ethnique » en analysant le vote dans le quartier Côte-Saint-Luc : « Les Québécois sont tous égaux. Ils ont le droit de voter pour qui ils veulent[18] [...]. »

Le premier ministre évoque la gravité « extrême » des propos échangés quelques semaines plus tôt entre Michaud et le sénateur Kolber, mais, curieusement, dans une entrevue accordée à *The Gazette* le même jour (et rapportée nulle part, à notre connaissance, dans les quotidiens francophones), ce dernier avoue ne pas s'en souvenir :

> [...] the Jewish senator from Québec supposedly at the center of an anecdote Michaud told on CKAC said yesterday he has no recollection of the story as Michaud told it.
>
> [Leo Kolber] said of Michaud : « I have seen him in a barber shop. I don't remember having that conversation in a barber shop. I'm not saying he didn't

---

16. *Le Devoir*, 20 décembre 2000. Sur ce lien que le premier ministre juge « incongru », on a vu précédemment ce qu'en pensait Norman Spector dans sa « Lettre d'un Juif à Lucien Bouchard » (*Le Devoir*, 28 décembre 2000).
17. Cité par *Le Devoir*, 20 décembre 2000.
18. *Ibid.* Dans son analyse de ce vote, Michaud avait lui-même écrit : « [...] chacun est libre de voter comme il l'entend » (*Paroles d'homme libre*, p. 32).

say it. I simply don't remember it – that particular kind of exchange. It's quite possible it happened. I've known the guy for 20 years. »

As for what Michaud had to say on CKAC on the relative status of Jewish suffering, Kolber said : « I found it outrageous and offensive, if that's what he said[19]. »

Le lendemain, Yves Michaud tient une conférence de presse[20] où il lit une lettre adressée au premier ministre :

> J'ai été frappé de stupeur en vous entendant hier soir, sur un ton dur, hargneux et vindicatif, m'accuser d'être insensible au plus grand crime dans l'histoire de l'humanité... Vos propos à mon égard sont profondément injustes et non fondés et votre acharnement à mon endroit n'est pas digne de la fonction que vous exercez. Le genre d'amalgame que vous faites pour « sataniser » un membre de votre parti qui a consacré l'essentiel de sa vie à la cause souverainiste est déshonorant.
>
> Je n'ai jamais rien dit, ni rien écrit, suggérant ni de près ni de loin une banalisation du crime nazi à

19. *The Gazette*, 21 décembre 2000. Cette absence de souvenir dispense évidemment le sénateur d'expliquer comment il a influencé la tournure de l'échange. Sur Kolber, Vastel écrit : « Quand on connaît les rapports entre Michaud et le sénateur, on comprend que le second n'ait pas été choqué par ses propos et qu'il n'en ait jamais fait état » (*Landry, le grand dérangeant*, Montréal, L'Homme, 2001, p. 376).
20. *The Gazette*, 21 décembre 2000.

l'égard du peuple juif : l'insinuer est contraire à la vérité. En vous associant à l'infâme motion de blâme de l'Assemblée nationale qui m'a condamné sans m'entendre et sans débat, vous avez commis envers moi une mauvaise action où se mêlent l'injustice et la calomnie.

Vous avez tenté d'assassiner politiquement un de vos militants pour des raisons que je me refuse encore à croire. [...] Le jugement de l'Histoire sera sévère pour l'acte que vous avez posé.

Et vous voudriez que je m'excuse ? De quoi ? N'est-ce pas plutôt à vous de le faire afin d'éviter ce qui pourrait être une irréparable fracture de notre formation politique. Je suis consolé dans mon immense peine par le témoignage de milliers d'hommes et des femmes d'honneur de tous les coins du Québec qui réprouvent le vilain procès que vous avez fait à l'un des vôtres au lieu d'utiliser vos grands talents et votre fougue à combattre les adversaires de la patrie québécoise.

Ces hommes et ces femmes sont encore prêts à vous suivre, moi le premier, si vous me restituez mon honneur et ma dignité. Ne les décevez pas. Ne commettez pas l'irréparable par entêtement, obstination ou orgueil. [...]

Je parle en leur nom, et non en vertu d'une quelconque ambition de refaire carrière en politique, à un versant de ma vie où je pourrais me livrer aux plaisirs de la littérature et du jardinage. [...] Je ne cherche pas à siéger à l'Assemblée nationale pour des fins personnelles mais pour rendre témoignage et jeter des passerelles entre un présent qui s'achève et un avenir qui commence. […]

Malgré les blessures encore vives que vous m'avez infligées, cette espérance me fait vous tendre une main loyale et fraternelle pour ne pas hypothéquer les chances de donner à notre peuple un pays qu'il attend depuis si longtemps. Je n'ose croire qu'un homme libre vous fasse peur. Votre stature est plus grande que cela. Au nom de tous les nôtres qui attendent tant de vous, ne cherchez pas à barrer le passage à ma candidature dans Mercier. Vous savez bien que je n'y renoncerai pas. […]

Nos adversaires se réjouissent de vous avoir fait déclencher une guerre fratricide. Il est encore temps que la paix revienne. […]

Je ne suis pas homme de rancune et je pardonne facilement les offenses à ceux qui m'ont offensé. À vous de jouer ! Auréolé de votre autorité, vous pouvez dégager le parti du piège dans lequel nos adversaires vous ont fait tomber. Plus les hommes sont grands, plus il leur est facile de reconnaître leurs erreurs. Je crois que vous êtes de cette taille. Vous possédez tous les outils de la réparation. Servez-vous en afin que soient préservées tant d'années d'espérances et d'attentes d'un pays dont des millions de Québécois et de Québécoises ne cessent de rêver[21].

---

21. D'après la transcription publiée dans *Le Devoir* le 21 décembre 2000.

Le bilan de session

À peine quelques minutes plus tard, le premier ministre profite de son bilan de session pour réagir et changer de niveau : l'affaire Michaud, qui tenait à quelques « propos inacceptables », est élevée au rang de « problème de société », de « problème de démocratie », de conflit de valeurs[22] :

> Est-ce qu'on peut, par exemple, prétendre représenter le Parti québécois, devenir député et nous annoncer – parce qu'il nous a dit qu'il maintenait ses propos – continuer à dire que c'est de l'intolérance – que c'est de l'intolérance – de la part des communautés ethniques de voter contre la souveraineté ? [...] Est-ce que c'est comme ça qu'on va pouvoir jeter des ponts et obtenir des allégeances dans les communautés culturelles au soutien de la société ? [...] Est-ce qu'on peut considérer, par exemple, qu'un mouvement de défense des droits et libertés qui origine des milieux juifs est assimilable à un mouvement extrémiste antiquébécois ? [...].

---

22. *Le Devoir* du 21 décembre 2000 a publié des extraits substantiels. On notera l'absence d'un passage cité par *La Presse* du même jour où le premier ministre s'insurge parce que Michaud l'aurait jugé « indigne de ses fonctions ». La lettre de Michaud disait plutôt : « Vos propos à mon égard sont profondément injustes et non fondés et votre acharnement à mon endroit n'est pas digne de la fonction que vous exercez », exemple significatif de la déformation des propos de Michaud et de la dégradation de ses rapports avec le premier ministre.

Comme parlementaire, j'ai conclu avec tout le monde qu'il fallait appuyer cette résolution qu'il ne faut pas que personne pense que les parlementaires québécois, de quelque parti qu'ils soient, entérinent ce genre de propos. D'ailleurs, je n'ai pas entendu beaucoup de monde appuyer les propos de M. Michaud. [...]

Alors, moi, je suis dans la même situation maintenant, comme chef de parti et comme membre du Parti québécois, et je demande aux membres du Parti québécois – il y a une période de réflexion, là, les Fêtes, une sorte d'accalmie où on est davantage en présence des vraies choses –, je leur demande de réfléchir : souhaitent-ils que le discours d'un député du Parti québécois soit celui-là ? [...]

Deuxièmement – ça, c'est la question de fond –, il y a des impacts aussi. Est-ce que c'est tenable, ça, dans la vie interne du parti, que de tenir ce genre de discours-là ? Est-ce que ça va être tenable dans la vie politique interne du Québec ? [...] Et puis qu'est-ce qu'on va dire dans le monde, sur la scène internationale ? Qu'est-ce qu'on va dire d'un parti politique porteur de la souveraineté du Québec qui veut construire un pays démocratique si, dans son discours, il y a attaque contre l'intolérance et les communautés ethniques québécoises [...] ?

Je sais que c'est déchirant. C'est très déchirant. Vous le savez, c'est une famille, un parti politique, une famille tissée serré. [...] Puis, moi, j'en suis le chef, et je sais très bien que la responsabilité première d'un chef, enfin une de ses responsabilités importantes, c'est d'assurer la solidarité, l'harmonie, l'intégrité du parti.

Mais il y a une telle chose aussi que les valeurs pour lesquelles on se bat. [...]

Et moi, les valeurs, enfin les propos de M. Michaud, les derniers, ils ne comptent pas au nombre de mes valeurs. [...]

[...] Moi aussi, je l'invite à réfléchir durant la période des Fêtes. [...] Je l'invite à prendre les dictionnaires, qu'il consulte des amis à l'étranger, qu'il consulte des gens qui sont en dehors du cercle immédiat de nos préoccupations politiques quotidiennes. Il va voir que ça ne passe pas, ses propos. Il va voir. Et s'il aime le Parti québécois, s'il aime la cause de la souveraineté, je pense qu'il va devoir tirer certaines conclusions.

Si on peut éviter un affrontement au sein du Parti québécois, je vais tout faire pour cela, je vais tout faire, mais je ne peux tout de même pas aller négocier la question des souffrances juives. [...] On me demande de m'excuser, mais qu'est-ce que j'ai fait, sinon que de me trouver interpellé par un problème très grave qu'a créé M. Michaud par ses propos ?

[...] Qui nous a mis dans cette drôle de discussion ? C'est M. Michaud. Il a décidé que dorénavant, au Québec et au Parti québécois, on devrait se poser la question : est-ce que les juifs ont raison ?, dit-il. C'est ce qu'il leur impute, de se prétendre les seuls à avoir souffert dans le monde. Bien, moi, je ne suis pas entré en politique pour ça, et en plus, moi, j'ai toujours admiré les juifs. [...] J'ai toujours trouvé que c'était un peuple extraordinaire. J'ai toujours admiré les juifs : leur capacité de sortir de situations épouvantables individuellement et collectivement, de dépasser beaucoup de personnes dans le domaine des arts, de la science, des affaires, de l'entreprise. Moi, je les admire et en même temps je les plains, et j'ai vécu avec eux dans mon adolescence, puis quand j'ai appris ce qui s'était passé au XXe siècle, j'ai vécu avec eux, j'ai partagé l'indignité qui nous pèse tous comme une chape de plomb, nous de l'espèce humaine, qu'il y a eu un pareil crime commis contre les juifs.

Alors, que dans mon Parti québécois, dont je suis le chef, on se mette tout à coup à dire : oui, mais ce n'est pas si vrai... bien, ce n'est pas ça qu'il a dit, mais : on en a ras le bol des juifs qui prétendent être les seuls à avoir souffert. [...] Ça, ce n'est pas pour moi, et je suis convaincu que ce n'est pas non plus pour le Parti québécois [...] que de stigmatiser le vote des communautés ethniques quand elles ne votent pas pour la souveraineté, et ensuite d'assimiler le B'nai Brith à un mouvement extrémiste antiquébécois[23]. Non, non.

---

23. On peut difficilement, en si peu de mots, déformer aussi « bien » les propos de Michaud qui n'a pas dit qu'il en avait ras le bol des Juifs, mais ras le bol de la réaction du sénateur Kolber, qui n'a pas stigmatisé le vote des communautés ethniques mais constaté une unanimité dans 12 bureaux de scrutin, qui n'a pas prononcé l'expression « mouvement extrémiste antiquébécois » selon les transcriptions de ses propos aux États généraux, à CKAC ou ailleurs dans les textes « incriminés » publiés par *La Presse* le

> Puis, je suis convaincu que les membres du Parti québécois, face à leur conscience de démocrates – malgré que, comme moi, ils aient beaucoup d'estime pour M. Michaud, pour ses états de service –, malgré qu'ils sachent que c'est un démocrate, qu'on ne peut pas, à partir du moment où il maintient ses propos et annonce qu'il n'en retire rien, à mon avis, faire en sorte qu'on soit appelé à cautionner son discours [...].

La crise

Dans les journaux du lendemain, les chroniqueurs prennent acte de la dégradation de la situation. « Le PQ au cœur de la tempête Michaud » (*Le Devoir*), « La guerre des mots s'envenime » (*Le Soleil*), « Le fossé se creuse » (*Journal de Québec*) et « Ce sera Bouchard ou Michaud » (*La Presse*). Tous constatent que le Parti québécois est plongé dans une grave crise.

> M. Bouchard, écrit Michel David, voudrait faire porter la responsabilité de ce dérapage à M. Michaud, mais c'est lui qui a choisi de transformer ce qui aurait dû demeurer un débat strictement péquiste en psychodrame national, en faisant intervenir l'Assemblée nationale. Les libéraux ont été les premiers surpris de le voir se jeter tête première dans un piège aussi énorme[24].

---

19 décembre.

24. Michel David, *Le Soleil*, 21 décembre 2000.

La crise a évidemment des répercussions au Canada anglais où les médias reprennent un air connu. « L'affaire Michaud, écrit Michel Venne, a ouvert de nouveau les valves d'une machine à dénigrement du nationalisme et du souverainisme québécois, une machine qui ne cherche que les occasions de salir ceux qui pensent qu'existe ici une nation politique distincte, capable d'assumer son destin[25]. » La revue de presse préparée par son collègue Antoine Robitaille[26] en donne un aperçu :

> Pour [le *Globe and Mail*], « il est difficile de comprendre » ce qui, dans les propos de Michaud, choque tant le premier ministre du Québec et ses collègues du conseil des ministres. Après tout, dit le *Globe*, Yves Michaud n'a exprimé que « ce que plusieurs séparatistes ressentent en leur for intérieur ». Pour le *Globe*, « le mouvement séparatiste au Québec, dans son fondement, est un mouvement de nationalisme ethnique [...] ». Le nous des Québécois est essentiellement constitué des « « pure laine » francophones ». [...] Autrement dit, « cette maison que vous habitez est la nôtre et prenez bien garde à ce que vous dites ou faites [...] ».
>
> [...] L'ironie est aussi très acide du côté d'Andrew Coyne, [...] dans le *Post*. « Enfin, les militants du Parti québécois se tiennent debout. Ils ne sont plus à genoux. Ils refusent de se taire. Ils ne seront plus

25. Michel Venne, *Le Devoir*, 28 décembre 2000.
26. « Pique-nique ethnique », *Le Devoir*, 23 décembre 2000.

humiliés. La base du parti a pris une position... contre la juiverie internationale ! » [...] Les remarques de Michaud, Robin des banques, sont rien de moins que de « vulgaires propos antisémites [...]. »

« Bouchard est en lutte contre le fanatisme du PQ », affirmait Ross McLennan dans le *Winnipeg Sun* hier. Selon lui, les derniers événements montrent hors de tout doute qu'il y a du racisme à la base de l'engagement des militants du Parti québécois. Ces derniers semblent bien aimer les « bruits de bottes » et la « musique martiale », écrit-il. La loi 101 prouve que le PQ entretient une vision tribaliste de la société et non « une conception ouverte et pluraliste ». Des zélateurs de la loi 101 ont même pris d'assaut le Web et préparent une sorte de cyber-Kristallnacht [...]. Peut-être que Bouchard a compris, s'interroge en substance le chroniqueur. « Peut-être que c'est le temps pour lui d'abandonner son troupeau de francophones fous. »

La lettre de la Saint-Sylvestre

La fin de la session et la période de Noël permettent à peine de relâcher la pression. Le denier mot de l'année appartient à Michaud. Il prend la forme d'une lettre « adressée à Lucien Bouchard le 31 décembre 2000 à la suite de conversations [qu'il a] eues avant Noël avec le vice-premier ministre Bernard Landry [...] pour explorer les voies d'une réconciliation à la suite du vote de blâme de l'Assemblée nationale ».

Monsieur le premier ministre,

Je vous souhaite à l'aurore de la nouvelle année, santé, sérénité, patience et courage dans l'exercice de vos exigeantes fonctions.

Je vous écris pour vous redire jusqu'à quel point les événements de décembre sont néfastes pour la cause que nous servons. Je vous ai tendu avant Noël une main loyale et fraternelle pour sortir de l'impasse dans laquelle nous sommes. Je récidive par la présente [...]. Je vous épargnerai le rappel de mes états de service à la nation québécoise depuis plus d'un demi-siècle, quoique j'eusse souhaité qu'ils fussent pris en compte, comme j'aurais estimé indispensable que l'on s'efforçât de connaître la teneur exacte de toutes mes déclarations faites aux États généraux [...].

Si l'on m'avait donné l'occasion de me faire entendre, j'aurais dit ceci :

Banalisation de l'holocauste. Rien dans la conversation que j'ai eue avec le sénateur libéral Léo Kolber n'autorise quiconque à prétendre que j'ai banalisé l'holocauste. Ce dernier a déclaré qu'il ne se souvenait pas de notre conversation. Eut-il perçu dans mes propos la moindre offense au peuple juif, sa mémoire l'aurait sûrement enregistrée. Affirmer que d'autres peuples ont souffert tout au long de l'aventure humaine n'implique d'aucune façon la contestation du caractère unique et incomparable de la tentative d'extinction du peuple juif par l'État nazi. [...]

Il serait fort étonnant que je me découvre soudainement, à mon âge, une vocation tardive d'antisémite.

J'habite depuis plus de trente-sept ans un quartier juif de Montréal en parfaite harmonie et convivialité avec mes voisins. Il n'y eut jamais l'ombre d'une anicroche entre nous. [...]

Mes propos admiratifs à l'égard du peuple juif n'ont pas été relayés par les médias et à plus forte raison par les représentants du B'nai Brith qui m'ont entendu, assis dans la salle et qui devaient me succéder à la tribune de la Commission des états généraux. [...]

Le vote (ethn...!) linguistique. En français, une « ethnie » se définit par la langue qu'elle parle. Au Québec, le canon du discours de la rectitude politique interdit de prononcer ce mot sacrilège. Humaniste, démocrate et amant comme vous des dictionnaires et des lettres, je crois que tous les êtres humains naissent libres et égaux en droit, ce qui se traduit dans le domaine politique par l'irréfragable droit de tous les citoyens du Québec de se prononcer comme ils l'entendent lorsqu'ils sont appelés à exercer leurs suffrages. Cela ne contredit pas mon propre droit de citoyen, libre de ses opinions, de faire le constat à la suite de l'analyse d'un vote massif et à 100 % contre la souveraineté du Québec dans un secteur donné de Montréal, qu'il y eut un vote linguistique contre le projet souverainiste québécois. Le constater, le dire, regretter qu'il en soit ainsi, n'est pas une infamie. [...]

En Israël, au moins d'août dernier, à la suite de l'élection d'un candidat de droite à la présidence de cet État [...], Mme Colette Avital, ex-ambassadeur d'Israël au Portugal, a qualifié de « vote ethnique » l'élection du nouveau président. La députée soutenait que l'élection en question était le fait du vote séfarade (oriental) contre l'oligarchie ashkénaze (européenne). [...]

Les immigrants. Voici ce que je déclarais à la Commission des États Généraux sur la langue française concernant l'intégration des immigrants à notre vie collective : « Des Néo-Québécois dont le nombre est insuffisant hélas, ont opté pour le Québec d'abord ! et enrichissent de manière brillante et exemplaire la patrie qu'ils ont adoptée. Au titre de leur contribution au patrimoine commun ils y mettent parfois, voire souvent, plus de ferveur et de générosité que beaucoup de nos concitoyens dits de « souche » mais de souche déracinée, indifférents ou étrangers au devenir de leur propre patrie. De ce type d'immigrants je souhaiterais qu'il en vienne à la tonne ! La souveraineté du Québec est impensable sans le soutien, l'apport et la volonté d'un nombre substantiel de Néo-Québécois qui feront route avec nous et contribueront à l'édification d'une société de justice sociale et de liberté. C'est sur des communautés humaines comme la nôtre, incrustées dans une même histoire et une volonté de vivre un même destin collectif, enrichies de l'apport précieux de nouveaux citoyens, de toutes races, confession, couleur, que se créent les nations, lieu privilégié et irremplaçable d'une solidarité d'hommes et de femmes qui partagent un certain nombre de valeurs, parlent une langue commune et participent à la culture d'un ensemble collectif. Des immigrants, oui ! nous en voulons ! En repoussant à l'extrême, s'il le faut, notre capacité d'accueil. »

Y a-t-il dans ce qui précède des relents d'exclusion et de xénophobie ? [...]

Je souscris sans réserve à la notion de contrat civique élaborée dans le document approuvé par le conseil des ministres et déposé par Robert Perreault alors ministre des Relations avec les citoyens et de l'Immigration [...]. Je suis d'accord avec le document gouvernemental qui affirme que ce contrat civique doit être au fondement de notre politique d'intégration non seulement des immigrants mais de toutes les personnes aspirant à exercer la citoyenneté québécoise.

Les extrémistes. L'un de nos plus féroces adversaires politiques est M. Robert Libman, ancien député du Parti égalité à l'Assemblée nationale, maire de Côte Saint-Luc, directeur régional (sic) au Québec du B'nai Brith, organisme qui a suggéré de débaptiser la station de métro Lionel-Groulx et qui vous a sommé par voie de communiqué de vous opposer à ma candidature dans Mercier, le 12 décembre 2000. [...] Dans ce même communiqué, le B'nai Brith qui se prétend défenseur des droits et libertés me qualifie de « dinosaure du Parti », en exigeant le retrait de ma candidature. N'est-ce pas là faire insulte, à travers moi, à tous les militants d'un certain âge du Parti et par voie de conséquence à l'ensemble de mes concitoyens et concitoyennes qui ont contribué toute leur vie à construire le Québec ? [...]

M. Libman est en outre, c'est litote de le dire, un prosélyte virulent et acharné de la partition du territoire québécois dans l'éventualité de l'accession du

Québec à la souveraineté. En cas de sécession, le droit international reconnaît l'intégrité du territoire de la partie sécessionniste d'un État. Dans les deux cas, flétrir la mémoire de Groulx et le dépeçage éventuel de notre territoire national, sont des positions extrêmes. [...].

Phalange du sionisme. Le *Grand Robert* définit une phalange comme « un groupement humain dont les membres sont étroitement unis ». J'imagine que ce propos ne prête guère à contestation. En revanche, la définition suivante est donnée au sionisme : mouvement politique et religieux visant à l'établissement d'un État juif en Palestine. Assimiler une référence au sionisme comme de l'antisémitisme témoigne d'une ignorance consternante. [...]. Cela dit, le fait est avéré que l'État d'Israël existe et je reconnais son droit à l'existence comme à tous les autres peuples, dont le mien, de se constituer en État-nation.

Ce droit n'était pas reconnu par un éminent membre de la communauté juive de Montréal, M. Charles Bronfman, qui déclarait le 15 novembre 1976, dans le *Montreal Star*, jour de la prise du pouvoir par le Parti québécois : « C'est un groupe de bâtards qui tentent de m'enlever mon pays. Je vois la destruction de mon pays, la destruction de la communauté juive. Si le PQ est porté au pouvoir ce sera l'enfer, l'enfer absolu. » M. Bronfman, que je sache, n'a pas été l'objet d'un vote de blâme de l'Assemblée nationale du Québec.

[...] Je constate qu'en dépit de ma bonne foi, certains de mes propos et surtout les interprétations erronées qui en ont été faites ont apparemment choqué ou blessé certaines personnes et je le déplore. Dès lors, gardant ma dignité, je prie ces personnes de m'excuser des malentendus que mes propos, par imprécision ou maladresse, ont provoqués. Il va de soi que les origines ethniques, les croyances religieuses et les allégeances politiques n'altèrent pas la qualité de citoyen. De plus, je ne conçois pas la nation québécoise d'aujourd'hui et de demain autrement que pluraliste, ouverte, sans exclusion, accueillante et fraternelle. Ces mêmes principes valent évidemment pour les futurs immigrants.

Compte tenu de tout ce qui précède, je vous prie de prendre les initiatives nécessaires pour que la motion de blâme à mon endroit soit rescindée dès les premiers jours de la reprise des travaux parlementaires. N'étant pas renégat de ma patrie je vous demande également, en votre qualité de président du Parti québécois, de reconnaître publiquement la légitimité de ma candidature à l'investiture du 4 mars 2001 dans la circonscription de Mercier. [...] Les conditions précitées étant satisfaites, je souhaite vivement, sûrement avec vous, que ce que les médias sont convenus d'appeler « l'affaire Michaud » soit classée le plus rapidement possible.

Cette lettre privée est restée sans réponse.

En quête d'une réparation

But even if one disapproves of Michaud's remarks, it is nevertheless possible to feel a certain admiration for the stubbornness and courage he has shown.

DON MACPHERSON, *The Gazette*, 13 juin 2001

C'est vrai que les libéraux auraient fait du millage avec [la comparution de Michaud] en commission parlementaire, mais il y a quelque chose d'odieux à refuser de corriger une injustice simplement pour avoir la paix.

MICHEL DAVID, *Le Soleil*, 17 mai 2001

Lorsqu'un privilège parlementaire donne ouverture à une injustice criante, plutôt que d'agir comme des « juges » en culottes courtes, les élus devraient plutôt modifier leur code de procédure. On l'a bien vu dans l'affaire Michaud, la puissance de juger expose à l'excès.

Me JEAN-C. HÉBERT, *Le Journal (Barreau du Québec)*, septembre 2006

DANS LES PREMIERS JOURS DE 2001, les médias rapportent que le vice-premier ministre Bernard Landry et le syndicaliste Fernand

Daoust[1] tentent de trouver un compromis pour régler le différend entre Michaud et le premier ministre Bouchard. Des rumeurs veulent que Michaud renonce à se présenter à l'investiture si l'Assemblée nationale revient officiellement sur sa motion de décembre[2]. Un mois plus tard, dans une entrevue à Radio-Canada, il révélera que Landry lui a rendu visite le 22 décembre avec « a mandate from the Parti Québécois caucus to explore avenues of reconcilliation » ; le vice-premier ministre lui aurait alors concédé « that the National Assembly had acted in a hasty way[3] » :

> Michaud said he and Landry worked on the wording of a new motion that would have been tabled in March and would have patched things up between Michaud and the legislature[4].

La crise qui agite le Parti québécois inquiète effectivement plusieurs membres du caucus. Déjà,

1. Bernard Landry dira en mai que Fernand Daoust, « voulant servir d'intermédiaire, s'est offert pour le faire » (Commission des institutions, 3 mai 2001).
2. *La Presse*, 10 janvier 2001.
3. « Bernard Landry n'a jamais nié qu'à l'occasion d'une rencontre avec M. Michaud, le 22 décembre, il ait lui-même admis que l'Assemblée nationale avait agi avec trop de précipitation en condamnant M. Michaud, sans que personne ne prenne la peine de vérifier ce qu'il avait dit exactement » (Michel David, *Le Soleil*, 3 mars 2001, et de nouveau le 5 mai 2001).
4. *The Gazette*, 15 février 2001.

au moins une dizaine d'associations de comtés ont dénoncé la motion du 14 décembre et une tournée téléphonique menée par *Le Devoir* révèle qu'une vingtaine d'exécutifs seraient du même avis[5]. Ces appuis se reflètent dans le nouveau message collectif publié par Solidarité Yves Michaud le 10 janvier. À la trentaine de personnalités signataires du premier message s'ajoutent maintenant une longue liste de citoyens, des militants du Parti québécois et du Bloc québécois et des instances officielles des deux partis.

> Le problème, écrit Michel David, est que Michaud a réussi à remporter la bataille de l'opinion publique. [...] il est impossible pour le PQ d'ignorer que l'intelligentsia nationaliste, de Guy Rocher à Pierre Falardeau, s'est mobilisée derrière lui. Au grand dam de Lucien Bouchard qui n'en était pas revenu[6].

Démission de Bouchard, retrait de Michaud

Mais, coup de théâtre le 11 janvier : Lucien Bouchard annonce qu'il laisse immédiatement la présidence du Parti québécois et qu'il quittera sa fonction de premier ministre dès qu'il aura été remplacé. Le discours[7] qu'il prononce au Salon rouge fait une large place à son regret de ne pas avoir pu « relancer

---

5. *Le Devoir*, 10 janvier 2001.
6. *Le Soleil*, 1er mai 2001.
7. Reproduit dans *La Presse* du 12 janvier 2001.

rapidement le débat sur la question nationale » et il enchaîne ensuite avec une vision personnelle de l'affaire Michaud, reprenant notamment le thème de l'Holocauste[8].

> On me permettra d'ajouter, sans qu'il s'agisse d'une cause de mon départ[9], que je n'ai pas le goût de poursuivre quelque discussion que ce soit sur l'Holocauste et sur le vote des communautés ethniques et culturelles. Je ne parviens toujours pas à comprendre comment le débat linguistique en est venu à dévier vers la quantification comparée des souffrances du peuple juif et l'intolérance que manifesteraient des citoyens québécois en ne votant pas pour la souveraineté du Québec.
>
> Comme il fallait s'y attendre, les déclarations en ce sens ont fait du tort à la réputation du Québec à

8. « Son insistance sur ce point a une source : le conjoint de la grand-mère française d'Audrey Best, qui était membre de la Résistance, avait été arrêté par la Gestapo et envoyé au camp d'Auschwitz, d'où il n'est sorti qu'en 1946. Il n'était pas le grand-père de Mme Best toutefois et il est mort avant que M. Bouchard ne puisse faire sa connaissance » (Denis Lessard, *La Presse*, 13 janvier 2001). Dans la biographie de Landry, Michel Vastel soutient que l'affaire Michaud a marqué la rupture de madame Best avec la politique et « c'est presque un ultimatum qu'elle servit à son mari » (*Landry, le grand dérangeant*, p. 378).
9. D'après un sondage Crop publié dans *La Presse* du 16 janvier, le facteur principal de la démission de Lucien Bouchard était l'insuccès de la souveraineté, 16 % ; l'affaire Michaud, 8 % ; son désir de passer plus de temps avec sa famille, 25 % ; les tensions à l'intérieur du parti, 25 % ; les succès des libéraux fédéraux, 8 % ; une combinaison de facteurs, 9 %.

l'étranger. [...] J'ai la conviction que sans l'intervention de l'Assemblée nationale le dommage eut été beaucoup plus lourd[10].

C'est pourquoi j'ai été surpris par les protestations qu'a suscitées l'adoption de la résolution unanime de cette Assemblée sur le caractère inacceptable des propos qui ont lancé cet étrange et dangereux débat. [...]

Certains parlent de négociation. [...] Dès lors que les enjeux campent sur le champ des principes, il n'y a pas de place pour la négociation. Nous voici, sans conteste, au cœur de l'essentiel. J'affirme, premièrement, que les citoyens québécois, sans distinction quelconque, peuvent exercer leur droit de vote comme ils l'entendent, sans encourir des reproches d'intolérance ; et deuxièmement, que l'Holocauste est le crime suprême, l'entreprise systématique d'élimination d'un peuple, une négation de la conscience et de la dignité humaine. On ne peut reprocher aux Juifs d'en être traumatisés. Cette tragédie innommable ne peut souffrir de comparaison[11]. [...]

---

10. Plusieurs commentateurs ont plutôt soutenu qu'il n'y aurait pas eu d'affaire Michaud si la majorité ministérielle avait traité l'incident comme une question interne.

11. L'éthicien Guy Durand émet à cet égard un commentaire intéressant : « [...] on peut remarquer une certaine incohérence dans les interventions qui [blâment Michaud] : elles se rendent coupables de ce qu'elles reprochent. En effet, en même temps qu'elles condamnent le fait d'évaluer l'Holocauste par rapport à d'autres exactions, elles proclament cet Holocauste comme le

Au-delà de l'émotion, je persiste à penser que les membres de l'Assemblée nationale, forum démocratique par excellence, n'ont fait qu'exercer leur droit de libre expression le plus élémentaire en se dissociant[12] des propos concernés et en les déclarant inacceptables. C'est bien à tort qu'on y a vu un acte de censure. Les parlementaires ont agi dans la plus stricte légitimité en prenant leur distance par rapport à des propos qui, de façon irresponsable, mettent en cause des valeurs fondamentales en démocratie. La députation ministérielle devait d'autant plus prendre position que c'est à elle que cherche à se joindre l'initiateur de la controverse.

Je ne doute pas que, si leur auteur devait donner suite à ses intentions, les militantes et militants du Parti Québécois fermeront la porte à sa candidature dans Mercier.

Le lendemain de cette démission, Yves Michaud rend publique sa lettre du 31 décembre puis, le 14, il annonce, dans un courriel envoyé aux médias[13],

---

sommet des malheurs infligés à un peuple, se trouvant ainsi à effectuer elles-mêmes une évaluation. Là aussi on semble piégé » (*Le pays dont je rêve. Regard d'un éthicien sur la politique*, Montréal, Fides, 2003, p. 188).

12. Si, au lieu de *dénoncer* les propos de Michaud, l'Assemblée s'était contentée de s'en *dissocier* et de prendre ses distances, sa réaction n'aurait probablement pas été vue comme un acte de censure.

13. *La Presse*, 15 janvier, 2001. Bruno Viens retirera aussi sa candidature dans Mercier le 26 janvier.

qu'il ne briguera pas l'investiture[14] dans la circonscription de Mercier :

> [...] le 12 décembre 2000, une campagne de haine, de désinformation, d'insultes et de discrédit a été déclenchée contre moi par M. Robert Libman et le B'nai Brith, organisme dont il est le directeur au Québec. Cet organisme a sommé M. Bouchard de s'opposer à ma candidature en déformant outrageusement mes propos aux fins de salir ma réputation. Deux jours après, le 14 décembre 2000, les députés de l'Assemblée nationale s'associaient unanimement au B'nai Brith pour enregistrer à la vitesse de l'éclair un vote de blâme à mon endroit, « sans nuance et sans débat ». [...] Le premier ministre ravalait l'Assemblée nationale à un tribunal d'exception, donnant ainsi des proportions démesurées à une affaire qui aurait pu se régler entre les instances du Parti. S'il y eut des effets négatifs pour le Québec, ici ou ailleurs, il en est le premier responsable.
>
> [...] Ainsi, prenant acte de l'intransigeance de M. Bouchard et n'ayant nul espoir, par ailleurs, que l'Assemblée nationale répare à court ou à moyen termes les torts immenses qu'elle m'a causés, j'en suis venu à la conclusion que je ne saurais prendre le moindre risque de me condamner pour un certain nombre d'années à entretenir de pénibles et difficiles fréquentations. [...] Je presse les militants et les

14. C'est finalement Claudel Toussaint, un Haïtien d'origine, qui sera candidat du PQ et il perdra l'élection partielle le 9 avril.

> militantes qui m'ont soutenu au cours des dernières semaines de redoubler d'ardeur au sein du Parti pour faire triompher la liberté d'expression, la démocratie sociale et faire échec au néolibéralisme triomphant. Plus important à s'opposer vigoureusement aux tentatives de faire table rase du passé, des repères, de la mémoire d'un peuple. À faire barrage, également, aux tentatives suicidaires de « renouvellement » d'un discours souverainiste prêchant l'entrée dans l'ère du vide et du déracinement, rapetissant ainsi la société québécoise à une atomisation de citoyens férocement individualistes et n'ayant d'autres raisons de vivre que d'assouvir leur rage de consommation. [...]

Michaud termine son message en invitant les journalistes à ne pas le solliciter pour des entrevues. Trois jours plus tard, il réitère sa demande dans une lettre ouverte à *La Presse* où il invoque le « besoin de recul » pour se retrouver « dans les arcanes d'une affaire dont certains éléments restent encore à mes yeux obscurs et indéchiffrables » et aussi pour « étudier les voies et moyens par lesquels je pourrais obtenir réparation des torts qui m'ont été causés par le vote de blâme irréfléchi et irresponsable de l'Assemblée nationale ».

Des poursuites

Le 5 février, son procureur adresse une mise en demeure au *Devoir* et à son journaliste Stéphane Baillargeon qui a inséré, dans un texte portant sur une exposition parisienne consacrée aux camps de concentration, cette phrase « venant de nulle part » : « Faut-il rappeler l'affaire Michaud et ses ramifications antisémites ? » S'agissait-il de malice ou de maladresse ? Le journaliste expliquera laborieusement que sa phrase affirmait « simplement que, dans le cadre de l'affaire récente qui a finalement porté le nom de M. Michaud, des questions en rapport avec l'antisémitisme ont été posées sur la place publique » et qu'elle ne portait « aucun jugement sur les éventuelles opinions prosémites ou antisémites de M. Michaud[15] ». Il demeure qu'elle illustrait (un cas parmi tant d'autres) comment les journalistes avaient de la difficulté à évoquer cette affaire sans mentionner ou évoquer des termes (antisémitisme, racisme, xénophobie, banalisation, etc.) que B'nai Brith avait stratégiquement évités. Michaud était maintenant déterminé à ne plus en laisser passer :

> Je n'ai pas l'intention d'en rester là. La récréation est terminée. Je me défendrai bec et ongles contre toute attaque malicieuse ou involontaire. [...]
>
> Les jours passent et non seulement ma colère ne s'apaise pas, elle s'amplifie au fur et à mesure que des certitudes s'avèrent, dont celle qu'aucun député n'a lu mes propos avant de voter leur condamnation. Aberrant ! Inimaginable ! Impensable de la part d'élus responsables ! Cette information est connue des médias. Elle n'a plus d'importance. Aucun journaliste

15. *Le Devoir*, 8 février 2001.

> d'enquête, que je sache, n'a été affecté aux intrigues et aux dessous de cette « ténébreuse affaire ». [...] Que l'offensé se taise désormais et n'ennuie personne avec ses jérémiades[16].

Quelques jours plus tard, le 8 février 2001, Marc Angenot, professeur à l'Université McGill, déclare à une émission animée par Pierre Maisonneuve sur les ondes du réseau RDI : « M. Michaud avait le droit de tenir des propos antisémites, j'ai le droit de les trouver abjects. » Le 21 mars suivant, Yves Michaud lui intente une poursuite en diffamation de 15 000 $[17]. Débouté en première instance, il perdra aussi en Cour d'appel le 10 septembre 2003. La question, avait bien précisé la Cour, n'était pas de savoir si Michaud avait tenu des propos antisémites mais si ses propos pouvaient être « perçus comme tels ».

La première pétition

Le 14 février, Michaud rompt six semaines de silence médiatique et annonce qu'il se prévaudra de l'article 21 de la Charte québécoise des droits et liberté pour soumettre une pétition en vue d'obtenir « redressement » de son grief envers l'Assemblée nationale[18]. La veille, Solidarité Yves Michaud avait payé une

---

16. *Ibid.*
17. *La Presse*, 4 avril 2001.
18. *Le Devoir*, 14 février 2001 ; *La Presse*, 15 février 2001. Art. 21 : « Toute personne a droit d'adresser des pétitions à l'Assemblée nationale pour le redressement de griefs. »

publicité demandant que l'Assemblée nationale répare dans les meilleurs délais les torts qu'elle a causés, à défaut de quoi les procédures appropriées pourraient être engagées. Quelques jours plus tard, les militants du Parti québécois de Jacques-Cartier, sous la direction de Georges-Étienne Cartier (aussi président de Solidarité Yves Michaud), se présentent au Conseil national de Saint-Hyacinthe avec une résolution qui réclame aussi des excuses, résolution qui sera retirée, compte tenu des négociations qui auraient cours entre Michaud et Bernard Landry, nouveau chef du parti[19].

Malgré les apparences[20], ces négociations progressent. Les deux hommes se parlent le 26 avril et arrivent à une « entente » qu'ils qualifient de « paix des braves ».

> Nous sommes alors convenus, comme l'écrira plus tard Yves Michaud à Bernard Landry[21], que je présenterais une pétition pour que je sois entendu par la Commission de l'Assemblée nationale.
>
> À ta demande, j'ai ouvert l'assemblée du 29 avril en soulignant tes compétences et qualités d'homme d'État en rappelant ce que j'avais écrit aux militants de Mercier. J'ai « livré la marchandise ».

---

19. *La Presse*, 4 mars 2001. Devenu chef du parti le 2 mars, Bernard Landry est assermenté premier ministre le 8.
20. Elles ont « débouché sur un désaccord », selon *La Presse* du 1er mai 2001.
21. Lettre inédite à Bernard Landry, 8 mai 2001.

De fait, le 29 avril, dans une allocution à l'assemblée de son organisation de solidarité, Michaud répète ce qu'il avait écrit précédemment aux militants :

> Il n'y a pas lieu de désespérer. Bernard Landry, aux incontestables qualités d'homme d'État et de gouvernement, militant souverainiste de la première heure, pourrait ouvrir un temps nouveau pour notre formation politique en revenant aux sources de notre projet national[22].

Le 3 mai, le député de L'Assomption (St-André) dépose à l'Assemblée nationale la pétition du « citoyen Yves Michaud » :

> Considérant que l'Assemblée nationale du Québec a voté le 14 décembre 2000 la motion suivante :
>
> « Que l'Assemblée nationale dénonce sans nuance, de façon claire et unanime, les propos inacceptables à l'égard des communautés ethniques et, en particulier, à l'égard de la communauté juive tenus par Yves Michaud à l'occasion des audiences des états généraux sur le français à Montréal le 13 décembre 2000 » ; [...]
>
> C'est pourquoi le soussigné demande qu'il soit entendu par la commission de l'Assemblée nationale afin qu'il puisse éclairer ses membres relativement à la motion le concernant, votée le 14 décembre 2000.

22. *Le Devoir*, 1er mai 2001.

Bien que la responsabilité du député se limite au dépôt de la pétition devant la chambre, et que ce dépôt formel ne présume pas qu'il en approuve le contenu, le geste du député St-André ne se fait pas sans heurts.

Avant même le dépôt, le leader de l'Opposition officielle, Pierre Paradis, soulève une « question de règlement » :

> [...] dans un geste exceptionnel, je fais miens les propos du leader du gouvernement qui statuait dernièrement comme suit : « On me demande si je suis d'accord avec vous ? – il s'adressait à M. Michaud – avec vos propos et avec vos analyses. Je ne le suis pas et je ne peux pas l'être, je ne peux non plus permettre qu'un doute subsiste à cet égard. »
>
> De façon à ce qu'aucun doute ne subsiste quant à la position des députés de l'opposition, nous réitérons ici, à ce moment-ci, le vote que nous avons fait sur la motion Michaud.

Quelques minutes plus tard, à la période des questions, c'est au tour de Mario Dumont, député adéquiste de Rivière-du-Loup, de s'inquiéter :

> [...] est-ce que le premier ministre peut nous dire et nous assurer qu'il n'y a aucune négociation à ce moment-ci ? Parce qu'une négociation sur la forme, quelle qu'elle soit, pour donner suite à cette pétition devient une négociation des principes que son prédécesseur n'était pas prêt à faire.

Et le premier ministre Landry de répondre, selon une recette que son prédécesseur aurait pu utiliser, si tant est qu'il aurait voulu esquiver le « piège » :

> Les lois et les règlements régissant notre Assemblée nationale font que tout citoyen peut être pétitionnaire, et, de ce point de vue, le fait que le citoyen Yves Michaud, que nous n'avons pas condamné comme un paria, je le rappelle, nous avons condamné certains de ses propos… Mais il faut se souvenir que cet homme, ami de Robert Bourassa, de Georges-Émile Lapalme, de René Lévesque et de moi-même, a eu une carrière de service public, de député dans cette Assemblée, de fonctionnaire, de diplomate, autant sous le Parti libéral que sous notre côté. Si n'importe qui peut présenter une pétition, je ne vois pas pourquoi un citoyen comme Yves Michaud n'aurait pas le droit, comme il vient de le faire par l'intermédiaire d'un de nos députés, de pétitionner devant cette Assemblée.

Les réactions au Parlement…

En après-midi, à l'étude des crédits du Conseil exécutif par la Commission des institutions, le chef de l'Opposition officielle et le député de Rivière-du-Loup reviennent à la charge.

> Alors, demande Jean Charest, il se passe quoi ? Qui négocie ? Avez-vous rencontré M. Michaud ? Est-ce que Josée Legault, de votre bureau, négocie avec

> M. Michaud? Est-ce que M. Daoust négocie avec M. Michaud? Est-ce que le député de Saint-Jean [plutôt L'Assomption] continue de dire, comme on prétend qu'il l'aurait dit, qu'il regrettait de ne pas s'être opposé à la motion? Et est-ce qu'il y a d'autres députés du côté ministériel qui aujourd'hui regrettent de s'être prononcés sur cette motion-là? Parce que, du côté de l'Opposition officielle, je peux vous réaffirmer que notre position n'a pas changé, depuis ce jour.

Le premier ministre répond en exploitant toutes les expressions possibles pour esquiver le mot « négociation » :

> M. le Président, je réitère que tous les parlementaires se sont levés à la suite de Lucien Bouchard, tous et toutes, pour voter cette motion, incluant votre humble serviteur. Alors, ça, ça ne peut pas être remis en question, personne n'a l'intention de le remettre en question. [...]
>
> Deuxièmement, mon caucus, assez sagement d'ailleurs, au mois de décembre, m'a demandé de maintenir ouvertes des lignes de communication avec M. Michaud et ceux qui l'entourent, et c'est ce que j'ai fait. Et je l'ai rencontré une fois en décembre et je l'ai rencontré de nouveau il y a quelques semaines, m'acquittant de mon mandat. Je l'ai fait d'abord pour des raisons humanitaires et des raisons humaines. Yves Michaud a été profondément heurté, blessé par la motion, et, sur le plan humain, ça se comprend. [...].

> Il ne s'agit pas de négociations, il s'agit d'évocations de l'avenir. [...].
>
> Évidemment, quand on est premier ministre du Québec, on a droit, comme vous-même, à un cabinet qui s'acquitte en votre nom des tâches dont vous ne pouvez pas vous occuper vous-même directement. Alors, c'est le rôle de Mme Legault également. Avoir une discussion sur la procédure parlementaire avec quelqu'un dont les propos ont été condamnés, ce n'est pas des négociations, c'est des discussions, c'est des évocations, et, encore une fois, je pense que la population souhaite que de tels éclaircissements éventuellement surviennent. Ce n'est pas un marché, on n'est pas en négociation de quelque genre de contrat que ce soit, c'est une discussion à caractère humain, à caractère équitable et qui ne remet pas en cause ce qui a été fait.

Le chef de l'Opposition officielle semble tirer un malin plaisir à mettre les députés ministériels membres de la commission au défi de réitérer leur appui à la motion du 14 décembre. De son côté, Mario Dumont voit dans la pétition la première étape d'un « processus de réhabilitation de quelqu'un à la suite de son discours », ce qui amène le premier ministre à fermer cette porte :

> Vous employez le mot « négociation », que je n'emploie pas. Le caucus dont Lucien Bouchard était le chef m'avait donné, à l'époque, le mandat de tenir ouvertes les lignes de communication. [...] L'un des

contenus de cette communication, c'est qu'évidemment l'Assemblée nationale s'est prononcée, et elle ne bougera aucunement, d'un iota de ce qu'elle a fait dans sa motion. C'est une communication, ça, à faire afin de dissiper tout vain espoir[23].

Le premier ministre n'a pas seulement de l'opposition devant lui. Il est coincé entre son amitié pour Michaud et un conseil des ministres majoritairement opposé à ce qu'on lui donne une tribune. La seule porte ouverte devant lui est cette possibilité de modifier le règlement pour faire en sorte qu'à l'avenir les parlementaires ne puissent blâmer un citoyen sans donner un avis de 48 heures et permettre au principal intéressé de donner son point de vue. Le caucus du Parti québécois a donné son accord à l'idée de convoquer la Commission de l'Assemblée nationale pour qu'elle se penche sur cette proposition[24]. Encore faut-il obtenir l'appui de l'Opposition qui, déjà, se montre réfractaire. Le député de Rivière-du-Loup l'a exprimé clairement : « Une Assemblée qui change ses règles pour le cas d'un individu, elle s'excuse[25]. » En modifiant son règlement, écrit Michel David, « l'Assemblée nationale reconnaîtra de facto qu'elle a mal agi envers M. Michaud[26] ».

23. Commission des institutions, 3 mai 2001.
24. *Le Devoir*, 3 mai 2001.
25. Commission des institutions, 3 mai 2001.
26. *Le Soleil*, 5 mai 2001.

… et celle de Michaud

Ce dernier envoie une lettre au président de l'Assemblée nationale pour avoir une réaction à sa pétition, mais Jean-Pierre Charbonneau ne peut évidemment convoquer la Commission de l'Assemblée nationale sans avoir un signal clair des députés et surtout des leaders. Or, on dit Jacques Brassard « viscéralement opposé à l'idée de voir comparaître M. Michaud[27] » tandis que Pierre Paradis prétend qu'on « ne tient pas une commission pour un seul homme[28] ».

Michaud est consterné et le fait savoir dans une lettre à Bernard Landry le 8 mai :

> Tu as utilisé la litote « ligne de communication » au sujet de notre entente. Cela est contraire à la vérité. Nous avions une entente en clair et net. À toi de la respecter.
>
> Je me couvrirais de ridicule si je renonçais à être entendu par la Commission de l'Assemblée nationale. Trop c'est trop. Assez d'humiliations, je ne peux en supporter plus. Si je n'ai pas ton assurance d'être entendu par la Commission, tout repart de plus belle. Il m'est rapporté que l'on craindrait ma comparution.

---

27. *La Presse*, 4 mai 2001.
28. *Le Devoir*, 11 mai 2001. En fait, il est arrivé plusieurs fois dans l'histoire que le Parlement « reçoive » un citoyen en séance plénière ou en commission dans des cas de violation de privilège ; le 25 mars 1976, par exemple, un avocat qui avait signifié une injonction visant à empêcher la présentation d'un projet de loi a comparu devant la Commission de l'Assemblée nationale.

La peur gagnerait les rangs de la députation ministérielle. Cela ne te ressemble pas. Quelle peur ? Qu'est-ce que cette frilosité d'affronter l'Opposition ? J'ose espérer que ta « garde rapprochée », Simard, Boulerice, Baril, Lemieux, Brassard – dont je t'ai déjà dit qu'elle n'avait pas la première place dans mon estime – ne te fera pas commettre l'irréparable et causer de sérieux dommages au Parti et à la cause souverainiste.

Pour te parler franchement, je suis à la limite de l'exaspération. Bientôt cinq mois que cela dure. Notre entente ferme aurait le mérite de clore l'affaire. Tu sembles t'y soustraire et revenir sur ta parole. Je ne crains pas l'Opposition et possède une connaissance encyclopédique du dossier. La dizaine et plus de milliers de personnes qui me soutiennent et condamnent la motion du 14 décembre – souverainistes à plus de 95 % – me commandent de ne pas les laisser tomber. Cette motion, expéditive, irresponsable, irréfléchie, et illégale selon la jurisprudence compilée à ce jour, a gâché ma vie.

Je te prie de me répondre dans les heures à venir de sorte que nous n'arrivions pas à un point de non-retour, avec tout que cela peut impliquer, et pour toi et pour moi, et pour nos camarades souverainistes déchirés par cette affaire, et pour l'honneur même de l'Assemblée nationale, à une situation complètement bloquée. Sans compter notre vieille amitié – mais cela ne concerne pas le débat public – terriblement amochée par les circonstances aggravantes qui ont mené à l'inadmissible motion du 14 décembre 2001.

Son mémoire de mai 2001

En prix de consolation, le mémoire qu'il avait adressé au président est déposé en Chambre par le leader du gouvernement le 15 mai. Ce mémoire demande essentiellement que l'Assemblée modifie ses règles au chapitre des pétitions et, surtout, de baliser les motions de blâme à l'endroit des citoyens :

> Le 14 décembre 2000, 109 membres de l'Assemblée nationale votaient unanimement, sans m'entendre, une motion condamnant des propos soi-disant inacceptables que j'aurais tenus à l'occasion des audiences des États généraux de la langue française. Pas un seul n'avait pris connaissance de la transcription de ma comparution[29]. Cela constitue une violation du droit imprescriptible de toute personne accusée ou mise en examen d'être entendue avant le prononcé d'une sentence de quelque nature que ce soit. [...]

---

29. Tel que mentionné ci-dessus, Michaud avait adressé une lettre à tous les députés en mars leur demandant notamment s'ils avaient pris connaissance de la nature exacte de ses propos devant la Commission des États généraux et s'ils pouvaient citer les propos « inacceptables » qui ont justifié leur vote. Seule Rita Dionne-Marsolais avait répondu en évoquant l'Holocauste, dont Michaud n'avait dit mot ni aux États généraux ni ailleurs. En conférence de presse, le 16 mai 2001, Michaud demande aux journalistes présents s'ils ont lu son témoignage aux États généraux et une seule main se lève, ce qui en dit long sur la qualité de l'information dont les citoyens ont bénéficié sur cette affaire en décembre 2000.

L'Assemblée nationale doit revoir ses règlements afin que la liberté d'opinion et d'expression d'un citoyen ne soit plus jamais l'objet de censure. [...]

Dans l'état actuel des règlements désuets et archaïques de l'Assemblée nationale, l'exercice du droit de pétition est nié et verrouillé par une procédure parlementaire protectionniste au bénéfice exclusif des parlementaires. [...]

L'article 62 des règlements prévoit que la pétition est présentée par l'intermédiaire d'un député. Cette exigence est inconstitutionnelle ou inopérante. [...]

[...] Il est impérieux que des modifications soient faites aux règlements de manière à s'assurer que, dans l'avenir, une motion de blâme de l'Assemblée nationale ne soit recevable que dans le cadre de la défense des privilèges et immunités de l'Assemblée nationale et de ses membres, et que la ou les personnes visées soient entendues avant le vote de la motion. Les élus de la nation bénéficient de l'immunité dans l'exercice de leur fonction à l'intérieur de l'enceinte parlementaire. Elle les protège de toute attaque venant de l'extérieur de sorte qu'ils puissent s'exprimer en toute liberté. Elle ne leur confère pas le droit de blâmer ou de condamner un citoyen qui a l'égale liberté d'exprimer ses opinions par la parole ou par l'écrit. [...]

Dans la célèbre trilogie de Pagnol, César dit à son fils Marius : « L'honneur, c'est comme les allumettes ; ça ne sert qu'une fois » ! C'est le plus important des maigres biens que je possède. Il a été dévalué, entaché, par la motion du 14 décembre 2000 qui a également

> affaibli la réputation et l'autorité morale de l'Assemblée nationale. Depuis cinq mois, il n'est pas une semaine sans que je sois injurié par de blessantes paroles ou des écrits diffamants. Chaque aurore qui se lève sur mes matins tristes, je revois l'image de ceux et celles qui m'honoraient de leur amitié se lever prestement, tels des caporaux épinglés, me couvrir de honte et d'opprobres. J'ai la mince consolation de savoir que quelques-uns d'entre eux, en leur âme et conscience, regrettent leur geste. [...]

Invité à commenter ce mémoire, le leader du gouvernement informe les journalistes qu'il s'apprête à proposer au Conseil des ministres un projet de réforme parlementaire qui comprendrait l'amendement suggéré par Michaud. Quant au passage de ce dernier devant la Commission de l'Assemblée nationale, il n'était pas apparu « pertinent ou souhaitable » parce qu'il comportait un risque « de se retrouver dans un débat tumultueux », de « dégénérer dans des débats pour le moins passionnés » !

Le lendemain, le premier ministre confirme l'intention de procéder « prochainement à une réforme des règles parlementaires qui devrait satisfaire M. Michaud » ; selon Bernard Landry, « cette histoire est de plus en plus derrière nous et derrière Yves Michaud » qui, en conférence de presse, quelques minutes plus tard, n'en menace pas moins de recourir aux tribunaux pour forcer le gouvernement à procéder rapidement.

Devant la presse parlementaire, Michaud ne manque pas de dénoncer une autre fois la motion que les députés ont adoptée le 14 décembre, « dans un état avancé d'ébriété parlementaire », sans avoir lu préalablement les propos en question. « Les cinq années de *bouchardisme* ont laissé la souveraineté en jachère, le Parti québécois en déshérence et la députation ministérielle muette et sourde[30]. »

L'affaire au Conseil national et encore des poursuites

Loin de songer « à clore la controverse[31] » ou de « mettre un point final à l'affaire[32] », comme le laissaient entendre certains médias, Michaud profite de sa conférence de presse pour annoncer qu'il sera délégué au congrès national du Parti québécois, à Saint-Hyacinthe, le 15 juin, pour participer au débat sur une motion du Comité des jeunes proposant :

> Que l'Assemblée nationale du Québec s'abstienne à l'avenir de voter toute motion de blâme à l'égard de tout citoyen ou citoyenne, créant ainsi le délit d'opinion. Les motions de blâme pourront être seulement votées dans les cas où il est porté atteinte aux privilèges ou à l'intégrité des membres de l'Assemblée nationale et que les gens visés directement ou

---

30. Cité par *Le Soleil* et *La Presse*, 17 mai 2001.
31. *La Presse*, 15 mai 2001.
32. *Le Droit*, 17 mai 2001.

indirectement par lesdites motions soient entendus dans un délai de 48 heures avant le vote, selon le respect du droit et des traditions des parlements démocratiques[33].

Le 16 juin, le Conseil national du PQ appuie majoritairement cette résolution après un bref débat marqué par le silence des députés présents[34]. Pour le premier ministre, cette résolution rejoint la position exprimée du leader du gouvernement ; il n'y voit pas de jugement sur la motion adoptée en décembre mais ce n'est pas l'opinion de plusieurs observateurs pour qui l'adoption de la modification proposée signifierait que l'Assemblée ne souhaite pas que son geste se reproduise[35]. Présent comme délégué de Westmount–Saint-Louis, Yves Michaud parle d'une réconciliation tandis que les médias sonnent une nouvelle fois la fin de l'affaire[36].

Mais l'été passe… Yves Michaud s'occupe à sauvegarder sa réputation. Le 8 août, son avocat dépose en Cour supérieure une requête en réclamation de

33. Mémo de Solidarité Yves Michaud « Aux délégués(e) au Conseil national du Parti québécois les 16-17 juin 2001, à Saint-Hyacinthe », 29 mai 2001.

34. *The Gazette*, 20 juin 2001.

35. Voir Michel David, *Le Soleil*, 17 mai 2001, Michel Venne, *Le Devoir*, 18 juin 2001 et Don Macpherson, *The Gazette*, 20 juin 2001.

36. « Le PQ enterre l'affaire Michaud », *La Presse*, 17 juin 2001 ; « Le PQ met un point final à l'affaire Michaud », *Le Devoir*, 18 juin 2001.

dommages et intérêts pour diffamation contre Communication Gratte-Ciel limitée, propriétaire de l'hebdomadaire *ICI vivre à Montréal*, et Robert Lévesque, journaliste. La réclamation s'élève à 90 000 $ de dommages moraux et matériels plus 5 000 $ de dommages exemplaires, soit 95 000 $ au total. Elle concerne un passage publié dans l'hebdomadaire le 10 mai :

> […] voici que je cède au besoin fortuit de vous dire que j'en ai marre d'Yves Michaud, oui, d'Yves Michaud, ce précieux ridicule que soutient *Le Devoir* […], ce lettré de salon si pédant que j'en serais à choisir la censure si cela pouvait faire taire les vieux cons de cette espèce, les vicieux du nationalisme, les orphelins du chanoine […]. En écoutant ses entourloupettes allusivement antisémites, en l'entendant revendiquer l'héritage de Lionel Groulx que partagea jadis le nazi Adrien Arcand et que perpétuent des belliqueux de fins de semaine comme Raymond Villeneuve, comment ne pas broncher, ne pas réagir[37].

Blocage à la Commission de l'Assemblée nationale

À la fin d'août, les prédictions optimistes des médias se brisent quand l'Opposition officielle offre une fin de non-recevoir à la proposition d'amendement que

37. L'affaire sera réglée hors cours pour une somme minime.

le leader du gouvernement présente à la Commission de l'Assemblée nationale, dans une belle fin d'après-midi estivale, le jeudi 30 août, ce qui a probablement empêché les journalistes de rendre compte de ce débat[38] dont on trouvera ici les grandes lignes :

> Le Président (M. Charbonneau) : [...] il est arrivé une affaire, que tout le monde connaît, et le leader du gouvernement arrive avec une proposition nouvelle qui serait d'interdire de présenter une motion de blâme à l'encontre d'une personne autre qu'un député, sauf si elle porte atteinte aux droits et privilèges de l'Assemblée ou de l'un de ses membres. Et, à ce moment-là, on propose de modifier l'article 325 du règlement afin d'y introduire l'obligation de convoquer la personne qui aurait porté atteinte aux droits et privilèges de l'un de ses membres. [...]
>
> M. Paradis : M. le Président, je suis très mal à l'aise. [...] Il y a quelques députés qui ont déclaré : J'ai pas eu le temps d'en prendre connaissance correctement. [...] Si c'était à refaire, je ferais peut-être pas le même vote. C'étaient des exceptions. Et je tiendrais à vous dire que ça a été lu [!?], que ça a été coparrainé, que ça a été fait très correctement [...].
>
> M. Brassard : [...] on a regardé un peu ce qui se faisait ailleurs, dans d'autres Parlements de type britannique, et on a posé la question : Est-ce qu'il y a ce

38. *Le Soleil* et *Le Devoir* ont rendu compte de cette séance de la Commission de l'Assemblée nationale le lendemain mais n'ont pas parlé des motions de blâme, thème traité après 17 h.

genre de motion là qui est adoptée dans vos Parlements, c'est-à-dire une motion qui blâme quelqu'un qui n'est pas dans le Parlement, qui est en dehors du Parlement, qui le blâme soit pour ses propos ou pour ses déclarations, pour sa conduite? Et la réponse a été négative partout [...].

M. Paradis: Est-ce que, dans les autres Parlements, est-ce qu'ils se sont interdits de blâmer quelqu'un? [...]

Le Président (M. Charbonneau): Moi, ce que j'ai comme information [...], c'est que finalement il y avait pas d'expériences où des motions auraient été faites, de cette nature-là, avaient été présentées et votées, mais il y avait pas de prohibition non plus, c'est-à-dire qu'il y avait pas d'interdit. [...]

Le Président (M. Charbonneau): [...] Je dis pas que l'impulsivité était totalement non fondée. Ce que je sais, c'est qu'il y avait pas eu un temps tampon pour amener les gens à se demander clairement c'étaient quoi, les conséquences, dans un cas comme dans l'autre, et que, moi, j'ai eu, comme président de l'Assemblée, à justifier que les députés avaient le droit effectivement de présenter des motions, que c'était dans leurs droits et privilèges et que c'était un forum, que c'était pas un tribunal [...].

M. Paradis: [...] en tout temps, tous les députés avaient la possibilité de s'opposer au dépôt. Tous les députés avaient la possibilité d'amender la motion. Tous les députés avaient la possibilité de voter contre la motion ou de s'abstenir de voter. My God ! c'est un pays de liberté.

Le Président (M. Charbonneau) : [...] ce qu'on me fait remarquer, c'est que ce type de motion là normalement doit avoir un préavis au feuilleton. Mais là, le problème, c'est... Il n'y en a pas eu parce qu'il y a eu un consentement. [...]

M. Paradis : Ça prend un consentement unanime. Il y a eu consentement unanime. On n'est pas pour empêcher l'Assemblée nationale de donner des consentements unanimes par règlement, là !

Le Président (M. Charbonneau) : [...] on pourrait faire en sorte que, à ce moment-là, l'Assemblée s'interdise la possibilité de recueillir un consentement, pour s'empêcher d'aller au préavis. C'est-à-dire que, si vous voulez blâmer un individu, bien, je veux dire, à ce moment-là, il y a un processus qui ralentit en fait le geste, la prise de décision, qui fait que tout le monde y pense. Et, si tout le monde veut le faire après, bien, je veux dire, tout le monde assume les conséquences.

M. Paradis : Dans ces événements-là, M. le Président, on est condamné à réagir rapidement[39].

---

39. Le leader n'a pas expliqué pourquoi l'Assemblée serait ainsi condamnée d'agir rapidement mais sa collègue de Saint-François a enchaîné avec l'exemple suivant : « [...] si à un moment donné quelqu'un fait une déclaration, quelqu'un de très en vue, là, de très, très en vue – je parle pas de l'affaire Michaud – fait une déclaration raciste, mais très raciste, hein. Nous autres, on prend trois jours pour réagir. Penses-tu que le journaliste appellera pas le premier ministre pour avoir sa position ? » Il est toutefois dif-

Habituellement, quand on réagit rapidement et que l'ensemble de la députation, là, 125 députés, donne son consentement, quand c'est coparrainé de part et d'autre par un ministériel puis un député de l'opposition, quand les deux chefs, les deux leaders, les deux whips puis tous les députés sont d'accord, tabarnouche ! on va baliser quoi, là ? [...]

M. Brassard : [...] dans l'opinion publique, il y a eu une perception que l'Assemblée s'est comportée comme un tribunal et a condamné sans avoir entendu la personne concernée. C'est la perception très largement répandue dans la population et c'est... [...]

M. Paradis : Je m'excuse, on n'a pas lu les mêmes journaux ou la même actualité, là. Moi, dans le dernier cas, je pense avoir à peu près tout lu, là, puis les gens qui ont condamné l'action de l'Assemblée nationale, j'en n'ai pas lu beaucoup. [...]

Le Président (M. Charbonneau) : [...] ce qui est clair, c'est que, si on interdit, c'est qu'à ce moment-là on restreint le droit, un des droits fondamentaux des législateurs, des députés, c'est-à-dire la liberté d'expression.

M. Paradis : Il y a rien qui empêche un seul député de se lever, là, s'il l'a dans la tête... Quand ça arrive, ces choses-là, il dit : Excusez, je refuse mon consentement parce que je suis pas prêt à me prononcer à chaud – comme vous avez exprimé, M. le

---

ficile de saisir en quoi la position du premier ministre empêcherait l'Assemblée nationale de réfléchir à la question, à moins de nier toute autonomie au Parlement.

Président – vous reviendrez demain ou après demain. N'importe quel des 125 députés de l'Assemblée nationale peut faire ça. Il faut prendre pour acquis qu'on a 125 députés, là, pas mal tatas autour de la table pour les attacher, là. Cent vingt-cinq, pas un seul qui est capable de penser à ça. Ni un libéral, ni un péquiste, ni un indépendant. Tabarnouche ! on part de loin. [...].

Le Président (M. Charbonneau) : Ce que je comprends, c'est que, pour le moment, il y a pas de consensus. [...]

M. Paradis : Je vais l'amener au caucus, moi, pour juste vérifier si je suis correct.

Le Président (M. Charbonneau) : Moi, je vais faire préparer une revue de presse non partisane par les services de l'Assemblée sur les deux cas. [...]

M. Brassard : [...] Moi, je suis d'accord avec toi, il y a eu pas mal plus de commentaires qui condamnaient la conduite des députés.

Sous-commission ou cul-de-sac ?

Le 24 octobre, la Commission de l'Assemblée nationale décide de confier certaines propositions de réforme, dont la question des motions de blâme, à une sous-commission. Le président est sceptique :

Le Président (M. Charbonneau) : O.K. Mais, moi, la question que je voudrais, dans ce cas-là, que vous me disiez, c'est : Comment vous voyez, vous autres, le travail de la sous-commission ? Allez-vous participer ou si vous allez pas participer ? Parce que ça change la dynamique. C'est clair que, si les deux leaders participent à la sous-commission, les gens ont l'impression que ça avance… […]

M. Paradis : Il y a une vieille maxime, M. le Président, qui dit que : Qui trop embrasse mal étreint. […] Motion de blâme à l'égard d'un citoyen, là, moi, j'étais assez réfractaire la dernière fois. Il s'agira là de le relire. Je peux aller m'asseoir là, là, puis répéter, répéter, répéter, répéter tout ce que j'ai dit la dernière fois. Si ma présence est souhaitée pour que je le répète, ça va me faire plaisir de le répéter. […]

Le Président (M. Charbonneau) : […] je peux pas aller plus loin, en fait, plus vite que ce que vous voulez aller. Je vous dis que je crois que, dans l'opinion publique, le temps est mûr pour qu'on bouge sur des questions fondamentales, pas juste sur des accessoires, là.

M. Brassard : […] Si on veut faire preuve d'un certain sérieux, là, puis si l'objectif, c'est un règlement sessionnel sur ces deux sujets-là, processus législatif et pétitions, on est en… c'est la deuxième semaine, là, de session, je pense que… […]

Le Président (M. Charbonneau) : […] Je comprends, toi, Pierre, ce que tu disais, c'est que tu seras pas nécessairement là à toutes les…

M. Brassard : Moi non plus.

Le Président (M. Charbonneau) : Bon, bien, dans ce cas-là…

Une voix : On va suivre ça de près, mais on ne sera pas présents à…

Renvoi à une sous-commission où les leaders seront absents ? Aussi bien dire que le dossier est mort. L'Opposition n'a aucun intérêt à aider le premier ministre et le leader à se sortir de cette affaire dont ils réalisent finalement la bêtise, mais ces derniers le veulent-ils vraiment ?

> En réalité, écrit Michel David, tout le monde au gouvernement, à commencer par le premier ministre Landry, savait parfaitement que jamais les libéraux ne donneraient leur approbation aux demandes de modification exigées par M. Michaud. La résolution adoptée par le Conseil national était simplement de la frime, sauf si le gouvernement était déterminé à utiliser sa majorité pour l'imposer de façon unilatérale[40].

Quelques semaines plus tard, le Comité national des jeunes s'adresse au leader parlementaire du gouvernement[41] pour lui rappeler le libellé de la motion adoptée en juin[42] et s'enquérir de son

---

40. Michel David, *Le Devoir*, 6 décembre 2001.
41. Lettre de Pascal Bérubé à Jacques Brassard, 12 novembre 2001.
42. La proposition avait été adoptée dans les termes suivants : « Il est proposé que le Conseil national recommande à l'Assemblée nationale du Québec de modifier son règlement afin que celle-ci ne puisse voter des motions de blâme dans les cas où il est porté atteinte aux privilèges ou à l'intégrité des membres de celle-ci et que les gens

échéancier... Réponse du leader[43] : le leader de l'Opposition officielle « a manifesté son profond désaccord » en août et « réfuté vigoureusement nos arguments » en octobre. C'est donc l'impasse.

> Vous n'êtes pas sans savoir, auquel cas je vous en informe, que toutes modifications apportées aux règles régissant les assemblées de parlementaires se font toujours de façon consensuelle et unanime. Il n'est guère envisageable dans un parlement qu'une minorité se voit régie par des règles parlementaires auxquelles elle n'aurait aucunement souscrit. Il serait ainsi trop aisé pour un gouvernement d'imposer ses propres règles pour que l'Opposition n'ait plus de voix.
>
> Étant donné l'absence de consensus, les membres de la Commission de l'Assemblée nationale ont décidé de mandater la sous-commission de l'Assemblée nationale pour examiner cette question. Cette sous-commission devrait débuter ses travaux sous peu.

En fait, l'Assemblée nationale avait déjà modifié son règlement sans obtenir l'unanimité au moins cinq fois dans les années 1970[44]. Elle avait procédé

---

visés directement ou indirectement par lesdites motions soient entendus dans un délai de 48 heures avant le vote. »

43. Lettre de Jacques Brassard à Pascal Bérubé, 15 novembre 2001.

44. Michel David, *Le Soleil*, 6 décembre 2001. Le jour même, un amendement a justement été adopté malgré l'abstention du

sans unanimité sur des questions éminemment plus sensibles, soit les droits de parole des députés, alors que la proposition du leader sur les motions de blâme ne brimait en rien les députés de l'Opposition. Théoriquement, une proposition visant à baliser les motions de blâme adoptées par une assemblée unanime ou une majorité parlementaire n'aurait-elle pas dû obtenir un préjugé favorable chez l'Opposition, un milieu généralement plus naturel pour la liberté d'expression ?

Yves Michaud se retrouve donc devant rien, sauf un « prix de consolation » offert par le leader au nom du caucus qui a décidé, « de façon unanime qu'aucune motion de blâme contre un citoyen ne puisse être présentée par aucun parlementaire préalablement [sic] à une période de réflexion d'un minimum de 24 heures (*cooling off period*)[45] ».

Une nouvelle pétition

Par ailleurs, le projet de réforme parlementaire ayant tout de même abouti sur certains plans, il était désormais possible à toute personne de présenter une motion pour « le redressement d'un grief qui relève de la compétence de l'État québécois » et le gouvernement devait répondre dans les soixante jours. Invoquant ces nouvelles dispositions, Yves Michaud

député de Rivière-du-Loup.

45. Lettre de Jacques Brassard à Pascal Bérubé, 15 novembre 2001.

rapplique avec une autre pétition qu'il adresse au président de l'Assemblée nationale le 10 décembre 2001. C'est finalement le député de L'Assomption (St-André) qui la dépose le 13 décembre :

> Je, soussigné, le citoyen Yves Michaud, adresse respectueusement à l'Assemblée nationale la présente pétition en redressement d'un grief et, en conséquence, prie cette honorable Assemblée d'inscrire cet acte à l'ordre de ses affaires courantes pour dépôt et débat sur l'opportunité d'adopter une motion portant réparation.
>
> **Exposé des faits**
>
> Le 14 décembre 2000, l'Assemblée nationale adopta unanimement et sans débat la motion suivante :
>
> « Que l'Assemblée nationale dénonce sans nuance, de façon claire et unanime, les propos inacceptables à l'égard des communautés ethniques et, en particulier, à l'égard de la communauté juive, tenus par Yves Michaud à l'occasion des audiences des États généraux sur le français à Montréal le 13 décembre 2000. »
>
> Cette motion réfère présumément à mes propos tenus le 13 décembre 2000 devant la Commission des États généraux sur la situation et l'avenir de la langue française au Québec.
>
> La transcription ou l'enregistrement des propos dénoncés par la motion ne fut pas déposée à l'Assemblée nationale afin que ses membres en prennent connaissance et se forment un jugement sur leur signification véritable.

Malgré l'omission du dépôt d'un tel document reproduisant fidèlement mes propos, l'Assemblée nationale n'a pas jugé utile d'entendre la citation qu'aurait pu en faire un ministre ou un député.

Par cette motion portant sur une matière qui n'est pas de son ressort et de surcroît sans connaître et évaluer les propos soi-disant exécrés, l'Assemblée nationale m'a injustement infligé l'opprobre.

Le redressement demandé

Je prie donc cette respectable Assemblée de réparer l'injustice résultant de la motion du 14 décembre 2000 en adoptant, à son choix, l'une ou l'autre des motions suivantes :

- Que l'Assemblée nationale reconnaît que la mise aux voix de sa motion du 14 décembre 2000 concernant les propos tenus par M. Yves Michaud n'a pas été précédée du dépôt d'une transcription de tels propos ou de leur citation complète en séance plénière de sorte que les députés ne purent exercer leur jugement sur la rectitude de tels propos avant de donner leur adhésion à la motion.

ou

- Que l'Assemblée nationale déclare qu'il ne relève pas de son autorité ou de son pouvoir d'exprimer, en sa qualité d'institution, une opinion approbatrice ou réprobatrice au sujet des propos d'un citoyen qui n'est pas membre de telle Assemblée.

Une autre poursuite, en attendant la réponse

Le temps s'écoule… Michaud a le temps de plaider lui-même sa cause dans le procès en diffamation contre Marc Angenot[46] et d'en intenter un autre contre Don Macpherson qui a publié une chronique dans la *Gazette* à l'occasion du « premier anniversaire des remarques xénophobes et antisémites [de Michaud] qui ont fourni finalement à Lucien Bouchard un prétexte pour abandonner la politique[47] ». Le Conseil national du Parti québécois a aussi le temps de se pencher une autre fois sur la question et d'adopter une résolution demandant au gouvernement d'utiliser sa majorité parlementaire et de passer outre aux objections des libéraux[48].

C'est finalement 90 jours[49] qu'il faudra pour obtenir une « réponse » du gouvernement par la voix de Jean-Pierre Charbonneau qui a peiné pour y arriver :

> Devenu ministre de la Réforme parlementaire, je multiplie les efforts pour réparer cette erreur. En vain. Sylvain Simard, André Boisclair, André Boulerice et plusieurs autres opposent toujours une farouche

46. *Le Devoir*, 11 janvier 2002.
47. Don Macpherson, *The Gazette*, 4 décembre 2001. Cette poursuite sera abandonnée.
48. *Le Devoir*, 18 mai 2002.
49. À la reprise de la session, tel que prévu au règlement.

résistance à la proposition de modifier le règlement. Pourtant, après d'innombrables discussions, l'idée fait du chemin. Finalement, poussés par Landry, le conseil des ministres et le caucus adoptent la modification, que j'ai le mandat de proposer à la nouvelle présidente de l'Assemblée, Louise Harel[50].

La lettre qu'il adresse à Yves Michaud le 12 mars a cependant toute l'allure du déjà-vu :

> [...] je tiens à vous indiquer qu'à titre de ministre responsable de la Réforme parlementaire, j'ai l'intention de demander à la nouvelle présidente [Louise Harel] de convoquer dans les meilleurs délais la Commission de l'Assemblée nationale afin que cette dernière propose le plus tôt possible à l'Assemblée d'adopter une nouvelle disposition réglementaire relative aux motions de blâme à l'encontre d'une personne qui n'est pas député.
>
> Ainsi, j'entends proposer que l'article 325 [c'est plutôt 324] du Règlement de l'Assemblée nationale soit modifié afin d'interdire à un député de présenter une motion de blâme à l'encontre d'une personne qui n'est pas parlementaire sauf si une personne porte atteinte aux droits et aux privilèges de l'Assemblée ou de l'un de ses membres. Dans un cas de cette nature, l'Assemblée s'imposerait la règle éthique de

---

50. Jean-Pierre Charbonneau, *À découvert*, Montréal, Fides, 2007, p. 254.

convoquer et d'entendre le citoyen concerné par la proposition de motion de blâme.

Rencontré quelques semaines plus tard, le ministre informe Michaud que la présidente hésite. Michaud lui adresse une lettre le 4 avril pour la presser de « donner suite sans délai [...] à la demande faite par M. Charbonneau ».

> J'ai donné ma parole que si l'amendement susdit [...] était voté à la majorité des parlementaires, je renoncerais à toute demande de réparation ultérieure, conscient du fait qu'une majorité des élus de la nation ajouteraient un périmètre de sécurité et une protection additionnelle à la liberté de parole et d'expression des citoyens et citoyennes du Québec. Je ne demanderais pas alors mon reste et mettrais le point final à une sinistre affaire qui m'a profondément blessé en même temps qu'elle flétrissait l'honneur de l'Assemblée nationale.
>
> [...] À défaut de l'Assemblée de disposer de cette affaire avant l'ajournement ou la fin de la présente session aux environs de la troisième semaine de juin 2002, j'envisagerai les voies judiciaires par lesquelles je pourrais saisir les tribunaux compétents d'une requête en annulation de la motion de blâme du 14 décembre 2000[51].

51. Lettre d'Yves Michaud à Louise Harel, 6 avril 2002.

Nouvel échec à la Commission de l'Assemblée nationale

Pour mettre de la pression, Michaud rend sa lettre publique puis adresse à tous les députés péquistes un courriel précisant que « toute manœuvre, tergiversation, délai, report, prétexte de conflit d'agenda, sera interprété par les militants et une partie non négligeable de l'opinion publique comme un manquement à la parole donnée[52] ». De leur côté, un groupe de militants du PQ, présidents de plusieurs associations de comtés, présidents régionaux du Conseil régional des jeunes, etc., « rappellent à la députation parlementaire du parti son engagement de faire voter par l'Assemblée nationale [...] un amendement à ses règlements concernant l'interdiction des motions de blâme à l'endroit des citoyens[53] ».

La Commission de l'Assemblée nationale siège finalement le 30 mai pour examiner diverses propositions de réforme, dont un amendement présenté par le nouveau leader, André Boisclair :

> [...] la solution que nous proposons consiste à interdire à un ou une députée de présenter une motion de blâme à l'encontre d'une personne qui n'est pas députée, sauf si une personne porte atteinte aux droits et aux privilèges de l'Assemblée ou de l'un de

52. Cité par Michel David, *Le Devoir*, 18 mai 2002.
53. Communiqué du 27 mai 2002.

> ses membres. Avec cette solution, je propose donc de modifier l'article 325 du règlement afin d'y introduire l'obligation de convoquer la personne qui aurait porté atteinte aux droits et aux privilèges de l'Assemblée ou de l'un de ses membres. [...]
>
> Je comprends qu'il serait souhaitable que cette motion soit adoptée à l'unanimité par tous les membres de l'Assemblée nationale, comme la tradition le veut [...]. Je souhaiterais entendre le point de vue de l'opposition en indiquant que le gouvernement se réserve l'ensemble des moyens qui sont à sa disposition [...].

Tel que prévu, le leader de l'Opposition refuse de collaborer :

> Mme la Présidente, le leader du gouvernement a terminé son intervention en parlant du droit à la liberté d'expression qui nous apparaît fondamental. Ce droit-là [...] nous apparaît un droit inaliénable pour l'Assemblée nationale du Québec ; il y va de la souveraineté de cette Assemblée. Et, après avoir vérifié auprès du caucus libéral, nous ne voulons en aucune façon hypothéquer cette souveraineté.

Et, si jamais la Commission étudie cette proposition, il annonce son intention de faire entendre des témoins :

> [...] je pense qu'il serait utile pour cette commission d'entendre des acteurs de premier plan qui ont vécu cette situation, les auteurs de la motion à l'Assemblée

nationale du Québec, l'ex-premier ministre du Québec, M. Lucien Bouchard, qui, lorsqu'il a quitté ses fonctions, a fait état qu'il s'agissait d'une des raisons pour lesquelles il avait quitté ses fonctions[54]. J'ai également toute une liste de ministres, d'anciens ministres et de parlementaires qui se sont exprimés sur le sujet.

Contrairement à son prédécesseur, qui avait participé très activement au débat sur ce sujet en août 2001, la présidente limite sa contribution à ce commentaire final: «Je prends acte que nos travaux se terminent immédiatement.» Quelques jours plus tard, le député de L'Assomption demande au secrétaire général de faire inscrire au *Feuilleton* une motion proposant

> Que l'Assemblée nationale, conformément aux dispositions du règlement, demande à la Commission de l'Assemblée nationale d'étudier la proposition de modification au règlement, concernant les motions de blâme à l'endroit des citoyens, présentée par le leader du gouvernement le 30 mai dernier et qu'elle

54. Il est permis de penser que l'affaire Michaud a joué dans la décision de Lucien Bouchard mais ce dernier a plutôt dit le contraire de ce qui est prétendu ici, soit: «On me permettra d'ajouter, sans qu'il s'agisse d'une cause de mon départ, que je n'ai pas le goût de poursuivre quelque discussion que ce soit sur l'Holocauste et sur le vote des communautés ethniques et culturelles» (texte de sa déclaration dans *La Presse*, 12 janvier 2001, p. A-14).

fasse rapport à l'Assemblée avant la fin des travaux parlementaires du mois de juin 2002.

Cette motion ne sera jamais appelée. Un autre été se passe sans que le dossier ne puisse marquer de progrès. En juillet, Solidarité Yves Michaud tient sa réunion annuelle et recommande de saisir la Cour supérieure du Québec d'un recours en jugement déclaratoire afin de faire invalider la motion de blâme du 14 décembre 2000. Mais Michaud n'a pas encore jeté la serviette dans l'arène parlementaire.

Un projet de déclaration ministérielle

En octobre, le président de Solidarité Yves Michaud demande solennellement au premier ministre, « pour la dernière fois », de modifier les règlements de l'Assemblée nationale, nonobstant le refus de l'Opposition. Conscients de l'échéance électorale prochaine et de son résultat incertain, les membres du conseil d'administration craignent que la modification ne soit jamais adoptée[55].

À la fin de novembre, lors d'une réunion du Rassemblement pour la souveraineté, Yves Michaud se retrouve sur la même tribune que Bernard Landry qui se serait alors engagé à « regarder de nouveau » le projet de modification du règlement de l'Assemblée nationale[56].

---

55. Communiqué de Solidarité Yves Michaud, 27 octobre 2002.
56. *Le Soleil*, 30 novembre 2002.

Le dimanche 15 décembre, en fin d'après-midi, le leader du gouvernement, André Boisclair, vient rencontrer Michaud à son domicile à la demande du premier ministre. Il propose « en guise de règlement final de l'Affaire Michaud de procéder par voie d'une déclaration ministérielle à la séance de l'Assemblée nationale du 19 décembre[57] » :

> L'Assemblée nationale du Québec, à l'instar des autres assemblées constituantes, possède des privilèges constitutionnels notamment l'entière liberté de parole et le contrôle des règles nécessaires au fonctionnement de ses débats. [...]
>
> L'Assemblée nationale ayant le pouvoir de se prononcer sur des sujets qu'elle juge d'intérêt public, la question que nous soulevons aujourd'hui, madame la Présidente, est celle de l'encadrement de ce pouvoir et plus particulièrement en ce qui a trait à une motion de blâme à un individu. Voilà à quoi le gouvernement souhaite répondre par cette déclaration.
>
> Depuis l'instauration du règlement permanent de l'Assemblée nationale en 1984, nous avons répertorié trois cas où notre assemblée a adopté une motion de blâme à l'encontre d'une personne non élue, soit le 24 mars 1988 ; le 19 mars 1997 ; et, le 14 décembre 2000[58]. L'étude des trois textes adoptés indique que

57. Le texte complet du projet de déclaration a été publié dans *Le Devoir* du 10 janvier 2003.

58. On a vu précédemment que la motion de 1988 visait D'Iberville Fortier en tant que commissaire aux langues officielles et que la

l'Assemblée a choisi des approches et des mots différents dans sa façon d'interpeller ou de mettre en cause un citoyen par le biais d'une motion de ce genre. Elle démontre également que l'Assemblée a personnalisé à des degrés divers ces motions, allant jusqu'à nommer expressément un citoyen.

Si l'Assemblée s'est fixée dans ces choix un certain nombre de limites, force est de constater qu'elle a accepté des repères qui ne sont pas toujours les mêmes et qui ne portent pas les mêmes conséquences. Ce constat soulève à juste titre un certain nombre de considérations au plan du respect des individus concernés et des principes devant guider les choix des parlementaires en de telles circonstances. Il y a également lieu de prendre acte de la portée même de la voix de cette assemblée. Le poids relatif des décisions de l'Assemblée commande une vigilance constante quant au respect des principes élémentaires de justice.

Or, madame la Présidente, des observateurs de la scène publique de haut niveau, des sommités de l'action politique et des citoyens et des citoyennes nous ont signifié dans des termes parfois très lourds les risques d'écueil qu'une motion de blâme peut engendrer. L'ancien premier ministre du Québec, M. Jacques Parizeau, et plusieurs autres, nous ont particulièrement mis en garde contre le risque d'arbitraire entourant les motions de blâme. Ils ont

---

motion de 1997 ne visait pas un individu…

également plaidé le risque d'entorse à la liberté d'expression, voire même à la démocratie québécoise. [...]

Depuis plusieurs mois, nous sommes convaincus qu'il y a lieu de clarifier nos règles. Pour faire avancer le débat, le leader a formellement soumis à trois occasions, soit le 30 août 2001, le 24 octobre 2001 et le 30 mai dernier, des propositions concernant les motions de blâme. À chaque occasion, les membres de la Commission de l'Assemblée nationale n'ont pu s'entendre.

C'est pourquoi, par cette déclaration, j'informe cette assemblée de ce qui suit :

À compter d'aujourd'hui, et ce, jusqu'au moment où les règles régissant « les motions de blâme à l'encontre d'une personne qui n'est pas députée » soient modifiées, le groupe parlementaire formant le Gouvernement s'assurera qu'aucun consentement ne pourra être donné à la présentation d'une telle motion ;

De plus, il ne s'associera jamais à une motion de blâme présentée par un membre de cette assemblée à l'encontre d'une personne qui n'est pas élue, sauf si cette personne porte atteinte aux droits et aux privilèges de l'Assemblée ou à un de ses membres. Auquel cas, notre formation s'assurera que cette personne sera convoquée par la Commission de l'Assemblée nationale et ce, avant que l'Assemblée nationale ne soit saisie d'une éventuelle motion de blâme à son endroit.

Échec au caucus

Le 16 décembre, le premier ministre Landry appelle Michaud pour s'enquérir du bon déroulement de la rencontre. Michaud donne son accord au texte de la déclaration le mercredi 18 décembre à 18 h[59]. Tôt le lendemain matin, il joint un journaliste de *La Presse* pour lui dire de bien regarder la période des questions. Avec en main sa propre déclaration, préparée à l'avance, « pour se réjouir de la déclaration ministérielle », il s'installe devant son téléviseur, mais il ne se passe rien.

Personne, chez le premier ministre ou le leader du gouvernement, n'avait eu le courage de l'informer de ce qui s'était passé la veille.

Les députés du Parti québécois s'étaient réunis dans la bonne humeur pour un dernier caucus, « une formalité sympathique » qui avait débuté par des chants de Noël. Mais quand le leader, « comme un éteignoir[60] », avait sorti son projet de déclaration, les députés ont *déchanté*. Alors qu'il devait durer une demi-heure, le caucus s'est prolongé pendant plus de deux heures.

> Selon les informations obtenues par *La Presse*, plusieurs ministres ont désapprouvé avec véhémence le projet de réhabilitation de M. Michaud. « C'est un petit Napoléon mégalomane », a laissé tomber le

59. *Le Devoir*, 10 janvier 2003.
60. Le whip Michel Morin, cité par *Le Devoir*, 20 décembre 2002.

> président du Conseil du Trésor, Joseph Facal. Sa sortie a vivement été réprouvée par Bernard Landry, ami depuis 35 ans de M. Michaud, qui l'a qualifiée de « méprisante ».
>
> Mais François Legault (Santé), et surtout Sylvain Simard (Éducation), étaient aussi « déchaînés » devant l'idée de ressusciter ce débat. Des députés ont menacé de quitter subitement l'Assemblée si on se risquait à faire la déclaration ministérielle prévue pour 10 heures, hier[61].

Trompé une autre fois, « stupéfait devant le manquement à la parole donnée, et par le chef et le leader du gouvernement[62] », Yves Michaud est évidemment dans tous ses états et ne décolère pas. « J'ai accepté le minimum du minimum, une déclaration sans débat, sans amendement. Je voulais qu'on règle ça une fois pour toutes », explique-t-il au *Soleil*[63].

> Que M. Michaud se satisfasse aujourd'hui d'une réparation aussi symbolique en dit long sur son désir d'en finir avec cette affaire, écrit Michel David. Que les députés péquistes la lui refusent est tout aussi révélateur. Clairement, ils en font une affaire personnelle, au moins autant que politique. [...]
>
> M. Michaud parlait récemment des « petites lâchetés » qui ont fait en sorte qu'après plus de deux ans d'atermoiements, l'affaire traîne encore. L'an

---

61. *La Presse*, 20 décembre 2002.
62. *Ibid.*
63. *Le Soleil*, 20 décembre 2002.

dernier, c'était la faute de l'opposition ; maintenant, c'est le caucus. Faudra-t-il que M. Landry fasse lui-même une déclaration à l'Assemblée nationale ? Quant à ceux qui ne veulent pas assumer la responsabilité de leur geste irréfléchi de décembre 2000, la pratique parlementaire a depuis longtemps trouvé une solution à leur problème : ils n'ont qu'à s'absenter pour aller faire pipi[64].

Est-ce la fin ?

« Ce n'est que partie remise », pour le leader André Boisclair : un groupe de députés doit retravailler le texte pour qu'il soit présenté au début de la prochaine session parlementaire[65]. En vue du Conseil national de février, des associations de comté préparent une résolution appuyant le « projet de déclaration ». Anticipant le résultat de cette démarche, Bernard Landry annonce, au premier jour du Conseil, que son caucus « a décidé, à l'unanimité, de s'imposer des règles de conduite relativement aux motions de blâme de l'Assemblée nationale ».

> À compter d'aujourd'hui le groupe parlementaire que je dirige ne donnera son consentement à la présentation d'une motion de blâme que si la personne concernée ait la possibilité d'être entendue par la Commission de l'Assemblée nationale et ce, avant

---

64. *Le Soleil*, 23 janvier 2003.
65. *Le Devoir*, 20 décembre 2002.

> que l'Assemblée nationale elle-même ne soit saisie d'une éventuelle motion. Dans tous les cas, un délai raisonnable devra également être prévu pour que l'Assemblée nationale puisse en débattre.

Le Conseil national adopte ensuite une motion d'appui qui va cependant un plus loin. Il appuie

> sans réserve la déclaration du président du Parti Québécois et premier ministre du Québec au présent Conseil national, à l'effet que l'Aile parlementaire du Parti Québécois appuie la modification des règlements de l'Assemblée nationale [...].

Le Devoir titre « L'affaire Michaud prend fin » mais on est loin d'une modification au règlement de l'Assemblée nationale et même d'une « déclaration ministérielle ».

> Quelques paragraphes dans un discours, écrit Michel David, et une résolution adoptée par le conseil national n'ont pas la portée symbolique d'une déclaration à l'Assemblée nationale, mais c'est le mieux que le premier ministre pouvait faire pour son vieil ami et M. Michaud était maintenant résigné à se contenter de presque rien. Du début à la fin, cette affaire aura été parfaitement minable[66].

---

66. *Le Devoir*, 3 février 2003.

La balle chez le nouveau président

Or, l'affaire n'est pas terminée, et l'arrivée au pouvoir des libéraux, en avril 2003, rend pratiquement impossible une modification du règlement. Michaud change alors son angle d'attaque. Le 22 juillet, il écrit au nouveau président de l'Assemblée nationale, Michel Bissonnet, pour lui annoncer son intention

> de saisir les tribunaux compétents en leur demandant de se prononcer sur la légalité constitutionnelle de la motion du 14 décembre 2000 pour éviter que l'Assemblée nationale censure des citoyens et des citoyennes dont les propos n'auraient pas l'heur de plaire à l'un, à l'autre, ou à l'ensemble de ses membres.
>
> L'Assemblée nationale et ses membres ont un intérêt primordial de savoir si, le 14 décembre 2000, ils ont agi de façon *ultra vires* ou non, afin d'être éclairés si des cas similaires devaient se présenter à l'avenir. En outre, il est de l'intérêt public le plus évident qu'une conclusion claire soit apportée à cette affaire qui a défrayé l'actualité pendant plusieurs semaines et plusieurs mois et qui ne cesse de préoccuper bon nombre de citoyens. Seule une autorité impartiale, en l'occurrence le pouvoir judiciaire, est en mesure de dire le droit et d'apporter une réponse claire et définitive à cette affaire.
>
> En conséquence je vous demande instamment par la présente d'autoriser l'Assemblée nationale à

> assumer les frais légaux des procédures que je compte entamer dans de courts délais[67].

Le président lui ayant répondu qu'il en saisira les membres du Bureau de l'Assemblée nationale, Michaud s'adresse directement à ces derniers, le 11 août[68], pour leur expliquer pourquoi la motion du 14 décembre viole leurs propres règles. L'article 324 prévoit en effet que

> Tout député peut, par motion, mettre en question la conduite d'une personne autre qu'un député qui aurait porté atteinte aux droits ou aux privilèges de l'Assemblée ou de l'un de ses membres [les soulignés sont de Michaud].

Or, Michaud n'a jamais porté atteinte aux droits ou aux privilèges de l'Assemblée ou de l'un de ses membres, et, d'après lui, « la motion du 14 décembre était irrecevable et les députés n'avaient pas le droit d'en être saisis ».

---

67. Le Bureau refusera de payer les frais de Michaud mais, dérogeant à son propre règlement qui limitait le taux horaire à 225 $, il autorisera le paiement d'honoraires au taux horaire maximal de 400 $ à Me Raynold Langlois, prétextant que c'était le prix à payer pour se réserver les services de cet expert dans une cause qui pourrait avoir « des conséquences imprévisibles et incalculables » si jamais le tribunal donnait raison à Yves Michaud (Décision 1185, 17 décembre 2003).

68. Courriel d'Yves Michaud aux membres du Bureau, 11 août 2003.

En décembre, avec l'appui du caucus[69], Jean-Pierre Charbonneau s'adresse à son tour au président de l'Assemblée nationale pour lui demander une interprétation de cet article 324 (et, éventuellement, donner prise à une proposition de modification au règlement) :

> Cet article rend-il recevable une motion, en particulier une motion sans préavis, mettant en question la conduite d'une personne autre qu'un député lorsque cette conduite consiste en des propos qui sont des énoncés de faits ou d'opinions lesquels ne portent pas atteinte à l'intégrité du parlement et de ses membres ou ne portent pas atteinte aux droits ou aux privilèges de l'Assemblée nationale ou de l'un de ses membres ?
>
> Comme l'Assemblée a déjà été confrontée à quelques reprises, notamment le 14 décembre 2000, à des situations répondant aux dispositions de l'article 324, sans toutefois que celui-ci ait été invoqué et rappelé pour la connaissance des membres de l'Assemblée, il m'apparaît à propos de clarifier le sens et la portée de cet article, notamment en regard de la protection des droits des personnes qui ne jouissent pas des privilèges parlementaires[70].

---

69. Courriel d'Yves Michaud à André Bois, 10 décembre 2003. Ce courriel relate une conversation entre Michaud et Bernard Landry ; ce dernier lui aurait alors confié « que les députés ont reconnu qu'ils s'étaient trompés en votant la motion du 14 décembre 2000 ».
70. Lettre de Jean-Pierre Charbonneau à Michel Bissonnet,

On apprendra plus tard que le président a refusé de répondre en expliquant, selon une expression chère à Robert Bourassa, qu'il ne se prononçait pas sur des « questions hypothétiques[71] ». Entretemps, Michaud avait plongé dans l'arène judiciaire.

10 décembre 2003. Déposée le même jour.

71. *Le Devoir*, 10 janvier 2004.

Voici le droit : où est la justice ?

Les députés qui ont voté en faveur de cette motion peuvent-ils dormir en paix ? Oui, s'ils n'ont pas lu le jugement [de la Cour d'appel]. Certes pas, s'ils le lisent et jusqu'à la fin.

DENIS VAUGEOIS, *Le Devoir*, 13 juillet 2006

Vu l'indolence actuelle des parlementaires, la Cour suprême serait justifiée de moduler la liberté d'expression (limitée) du citoyen et la liberté de parole (illimitée) des élus, la seconde flétrissant la première. Les principes fondamentaux ne sont pas simplement des icônes destinées à une vénération formelle, mais des ingrédients actifs qui inspirent le mouvement du droit. Certes, les privilèges parlementaires sont de vieilles idées utiles à notre démocratie parlementaire. Rien n'empêche toutefois de leur tailler des habits neufs.

Me JEAN-C. HÉBERT, *Le Journal (Barreau du Québec)*, septembre 2006

Le 23 janvier 2004, Yves Michaud dépose, en Cour supérieure, une demande en jugement déclaratoire[1]. Pour les motifs qu'il expose au soutien de sa cause, il demande à la cour de

> déclarer que l'Assemblée nationale n'est pas investie du pouvoir constitutionnel d'exprimer, en sa qualité d'institution ou d'organe de l'État, une opinion approbatrice ou réprobatrice au sujet des propos d'un citoyen qui n'est pas membre de telle assemblée, sauf en cas d'atteinte aux privilèges qui lui sont reconnus pour lui permettre d'accomplir sa fonction législative.
>
> Et, en conséquence,
>
> déclarer qu'elle n'avait pas le pouvoir d'adopter la motion du 14 décembre 2000 concernant les propos tenus par M. Yves Michaud.
>
> Et
>
> déclarer que l'Assemblée nationale est tenue de statuer sur la pétition qui lui fut présentée par M. Yves Michaud le 13 décembre 2001 ou sur toute pétition qui, pour des motifs de procédure, devrait lui être à nouveau adressée par M. Yves Michaud afin de requérir le redressement de griefs demandé à cette pétition du 13 décembre 2001.

1. La demande est datée du 10 décembre 2003. La requête en jugement déclaratoire vise à faire déclarer la portée d'un droit ou la régularité ou l'irrégularité d'une situation juridique. Le jugement déclaratoire n'est pas exécutoire ; il ne comporte ni condamnation ni ordonnance.

En Cour supérieure

Au cours du printemps 2004, les parties[2] s'échangent des documents et complètent le dossier. Les audiences ont finalement lieu les 1er et 2 décembre 2004. Yves Michaud est appelé à la barre par son procureur et contre-interrogé par la défense qui ne présente aucun témoin.

Le juge a ainsi résumé les « prétentions des parties » :

> Le demandeur soutient que la motion du 14 décembre 2000 outrepasse les pouvoirs de l'Assemblée nationale. Ce dernier reconnaît l'existence du privilège inhérent de cette dernière de réglementer ses affaires internes sans ingérence extérieure, de même que celui consacrant la liberté de parole des députés. Il soutient toutefois que ces privilèges ne peuvent pas être invoqués en l'espèce car le parlement n'agissait pas dans le cadre de ses fonctions législatives ou de surveillance du pouvoir exécutif.
>
> Relativement à la pétition que le demandeur a adressée à l'Assemblée nationale le 13 décembre 2001, ou à toute autre pétition qu'il pourrait adresser, ce dernier plaide que l'article 21 de la Charte des droits

2. Yves Michaud était représenté par Me André Bois (assisté de Me Stéphane Rochette), de l'étude Tremblay, Bois, Mignault, Lemay, et le président de l'Assemblée nationale par Me Raynold Langlois (assisté de Me François LeBel), de l'étude Langlois, Kronström et Desjardins.

et libertés de la personne impose à l'Assemblée nationale d'examiner à son mérite un grief soumis par pétition et de prononcer une décision qui accepte ou refuse la demande de redressement dudit grief.

Le défendeur, en sa qualité de président de l'Assemblée nationale, soumet pour sa part que les privilèges parlementaires qu'il invoque ne sauraient être limités aux seuls cas où les députés étudient un projet de loi ou surveillent l'activité gouvernementale. Selon le défendeur, ils s'appliquent au présent cas et, partant, le Tribunal serait sans juridiction pour en vérifier l'exercice.

Quant à la prétention du demandeur selon laquelle l'article 21 de la Charte impose à l'Assemblée nationale l'obligation de statuer sur une pétition, le défendeur soutient que cette disposition ne fait que codifier le droit antérieur, faisant ainsi en sorte que seule l'Assemblée peut sanctionner le droit de toute personne de lui adresser une pétition[3].

Le juge Jean Bouchard ne tarde pas à rendre un jugement. Le 13 janvier 2005, il rejette la requête d'Yves Michaud:

---

3. Michaud c. Bissonnet, Cour supérieure, 13 janvier 2005. Le procureur de l'Assemblée a aussi soutenu que «les députés ne faisaient qu'exercer leur droit à la dissidence, un des volets de leur liberté de parole garantie par le privilège parlementaire» (*Le Devoir*, 3 décembre 2004). Il s'agirait ici d'une très particulière notion de dissidence. De quelle position dominante, l'Assemblée nationale serait-elle dissidente? Et, si elle voulait seulement exprimer sa «dissidence», pourquoi a-t-elle dénoncé Michaud?

[75] Sur le tout, le Tribunal est d'avis que les privilèges revendiqués par l'Assemblée nationale, soit la liberté de parole des députés et le droit pour cette dernière de réglementer ses affaires internes sans ingérence extérieure ne sont pas limités aux seuls cas où l'Assemblée exerce sa fonction législative ou celle de surveillance du pouvoir exécutif.

[76] Subsidiairement, dans l'hypothèse où ces privilèges seraient limités à ces seuls cas, le Tribunal est d'avis que la motion adoptée le 14 décembre 2000 par l'Assemblée nationale l'a été alors qu'elle était dans l'exercice de sa fonction de surveillance de l'activité gouvernementale, les propos du demandeur ayant été prononcés devant la Commission des États généraux sur la situation et l'avenir de la langue française au Québec, un organisme gouvernemental et ce, alors que le demandeur effectuait un retour en politique.

[77] Enfin, l'article 21 de la Charte des droits et libertés de la personne n'est pas de droit nouveau et malgré son statut quasi constitutionnel, n'a pas pour effet de porter atteinte au droit de l'Assemblée nationale d'être seul maître de la conduite de ses débats et de l'élaboration de ses règles de procédure.

Sur le fond, le jugement ne surprend guère : les parlementaires ne se mêlent pas des procès et les juges n'interviennent pas dans les débats parlementaires. Le Parlement est souverain, les juges, indépendants, et, dans cette perspective, la démarche de

Michaud n'avait pratiquement aucune chance de réussir.

Il est étonnant cependant de voir le juge exposer une argumentation superflue (et surtout gênante), au paragraphe 76 de sa conclusion, sur la fonction de surveillance de l'activité gouvernementale.

Le juge avait développé cette approche précédemment dans son analyse :

> [57] Les propos du demandeur sont prononcés devant la Commission des États généraux sur la situation et l'avenir de la langue française au Québec, une créature gouvernementale (supra, par. 6). Comment, dès lors, le demandeur peut-il soutenir que la motion adoptée subséquemment par l'Assemblée nationale échappe à sa fonction de surveillance des actes du gouvernement, de ses ministères et organismes (Loi sur l'Assemblée nationale, L.R.Q. ch. A-23.1, art. 4) ? Certes, le demandeur n'est pas membre de cette commission. Il a toutefois témoigné devant celle-ci en tenant des propos controversés, à saveur politique, qui touchent à des questions très sensibles dans l'opinion publique québécoise. Or, la Commission doit faire rapport au ministre responsable de la Charte de la langue française qui fera à son tour rapport au gouvernement.

Il est difficile de voir comment le juge a pu s'aventurer dans une interprétation qui ne tient pas compte du sens des mots. La fonction dont on parle est la surveillance des actes *du gouvernement*. Elle s'applique aux ministres et à leurs fonctionnaires ainsi qu'aux dirigeants d'organismes gouvernementaux et à leurs employés : les ministres sont responsables devant le Parlement de leurs propres gestes et des actes de tous ceux qui relèvent de leur autorité. En principe, dit-on souvent, car on voit mal comment ils seraient responsables du dernier des petits larcins commis dans un lointain bureau régional. Mais on conçoit encore moins comment un ministre serait responsable des actes des gens qui font affaire avec lui (ou avec ses fonctionnaires) et sur lesquels il n'a aucune autorité.

Si elle avait le moindre fondement, cette argumentation mènerait à des situations aberrantes. Toute personne qui témoigne devant une commission d'enquête, ou tout autre organisme consultatif[4], pourrait se voir censurée par le Parlement. Aussi bien sanctionner les clients de la Société des alcools, les joueurs de loto et les bénéficiaires de l'aide sociale.

Sans reprendre exactement les mots du procureur de l'Assemblée nationale (qui a utilisé l'expression « vedette »), le juge tient aussi à souligner que Michaud n'est pas un quidam :

> [53] En premier lieu, il n'est pas exact pour le demandeur de se présenter comme un simple citoyen, un quidam.

---

4. On pense ici, par exemple, à certains témoignages rendus devant la Commission de consultation sur les pratiques d'accommodement reliées aux différences culturelles (commission Bouchard-Taylor)…

> [54] Ce dernier a été directeur et rédacteur en chef de trois journaux, il a siégé à l'Assemblée nationale de 1966 à 1970, a été conseiller du premier ministre, délégué général du Québec en France et président du Palais des congrès de Montréal. Au moment où il prononce les paroles pour lesquelles il sera blâmé, il effectue, de surcroît, un retour en politique. Il est candidat à l'investiture du Parti Québécois dans le comté de Mercier.
>
> [55] C'est là une première[5] nuance que le Tribunal croit approprié de faire et qui colore singulièrement les choses.

Notons d'abord que Michaud ne s'est jamais présenté comme un quidam (une personne dont on ignore tout et dont on tait le nom) et qu'il n'était pas « candidat à l'investiture du Parti québécois dans le comté de Mercier[6] » au moment des

---

5. La seconde porte sur la notion de fonction de surveillance.
6. Soit textuellement les mots du chef de l'Opposition officielle dans sa question le 14 décembre 2000. Dans la section du jugement qui porte sur «les faits», on notera aussi que le juge ne décrit pas correctement la réalité quand il évoque les suites des propos de Michaud à l'émission de Paul Arcand, «propos que les médias ne manquent pas de rapporter et qui provoquent de vives réactions parmi la communauté juive et ses représentants» (par. 7). En réalité, on ne trouve aucun reportage sur cette émission du 5 décembre avant le 12 décembre alors qu'un reportage de la *Presse canadienne* réagit au communiqué de B'nai Brith (et non à l'émission elle-même). C'est cet article de la *Presse canadienne* que le procureur de l'Assemblée nationale a présenté (pièce D-4) comme une réaction à l'émission de Paul Arcand.

faits (il ne l'a d'ailleurs jamais été), mais retenons surtout que cette argumentation conduit directement à l'arbitraire. Le Parlement serait-il plus ou moins justifié de sanctionner un citoyen selon que sa notoriété est plus ou moins grande ? Michaud a effectivement été directeur de journaux, député, haut fonctionnaire, délégué général et administrateur public mais, au moment où il prononce les paroles pour lesquelles il sera blâmé, il n'est plus rien de tout cela depuis une douzaine d'années et tellement rentré dans le rang qu'on oublie, le juge en tête, qu'il est seulement homme d'affaires. Homme connu ? Il aurait fallu sonder les citoyens pour voir qui se souvenait de sa carrière. La population le connaissait probablement surtout comme militant politique et « Robin des banques ».

On retiendra surtout de ce jugement ce qui ne s'y trouve pas, soit des précédents à la motion du 14 décembre. Ni le procureur de l'Assemblée nationale ni le juge n'ont pu citer un seul précédent à l'appui de leur position.

Le droit parlementaire s'appuie sur les lois constitutionnelles et autres (dont la Loi sur

---

Autrement dit, cette émission a échappé à l'attention des médias, jusqu'à ce que B'nai Brith s'en serve contre Michaud. Dans la *Gazette* du 12 décembre (donc avant la conférence de presse de B'nai Brith), Don Macpherson publie un texte sur Michaud, sa candidature, ses positions politiques, etc., et ne dit pas un mot de l'émission (« Michaud spells trouble for Premier », *The Gazette*, 12 décembre 2000).

l'Assemblée nationale), le règlement de l'Assemblée et ses règles de fonctionnement (ou règles « de pratique »). En absence de textes explicites (qui diraient par exemple que le Parlement peut blâmer un citoyen et fixerait la procédure à suivre en pareil cas…), on se réfère aux précédents, aux usages et à la tradition pour établir un droit ou régler une situation. Dans tous les cas, il est toujours utile de consulter « les auteurs », les spécialistes du parlementarisme dont les plus réputés sont May, Bourinot, Beauchesne et Maingot[7]. Or, si personne n'a pu citer LE précédent qui aurait pesé très lourd dans les procédures judiciaires[8], c'est bien la preuve qu'il n'en existerait pas un seul dans l'histoire de notre Parlement ou dans celle de son modèle britannique. Comment pourrait-il alors exister un « pouvoir », fondamental et extrêmement précieux, que les parlementaires québécois, canadiens et britanniques n'ont jamais utilisé ?

Yves Michaud commente le jugement le 14 janvier dans la tribune libre de Vigile :

> […] Désormais, il faudra être d'une prudence extrême dans l'expression de ses opinions au risque de se voir flageller et couvrir d'opprobres par des députés ombrageux. S'il reste la moindre chance de protéger

7. Voir à ce sujet, *La procédure parlementaire*, 2e édition, Québec, 2003, p. 29-36.
8. On n'a pas jugé bon d'invoquer les « précédents » de 1988 et de 1997 dont il a été question ci-dessus.

les citoyens contre les dérapages d'une assemblée nationale qui se comporte, trop souvent hélas !, comme une maternelle en folie, je me rendrai aux limites de mes ressources et de mes appuis pour barrer le passage à ce que j'estime être des abus de pouvoir.

Mes moyens sont exsangues : l'Assemblée nationale a défrayé les plantureux honoraires de son procureur alors qu'elle a refusé d'assumer ceux du mien. La justice a été et demeure un luxe de riches. À cet égard, le jugement est silencieux sur une demande de mon procureur de défrayer ses honoraires professionnels. J'eus souhaité, à tout le moins, que le jugement rééquilibrât le rapport de forces financier entre les parties, d'autant qu'il s'agit du bien commun et de l'intérêt général [...].

Fondement de la vie démocratique et de la bonne santé du débat public, la liberté de parole et d'expression est perdante dans le jugement de ce jour. Tous les citoyens et citoyennes en sortent appauvris.

Pour toutes ces raisons, et jusqu'à justice me soit rendue dans une « affaire » qui a déshonoré l'Assemblée nationale et dévoyé sa mission, j'ai donné instructions à mon procureur Me André Bois d'interjeter appel du jugement en question.

Pendant ce temps, sur la scène politique…

Pendant que les tribunaux traitent le dossier judiciaire, l'affaire évolue sur le plan politique.

En juin 2004, le ministre responsable de la Réforme des institutions démocratiques, Jacques Dupuis, et le président de l'Assemblée nationale, Michel Bissonnet, déposent, coup sur coup, des projets de réforme parlementaire[9].

Le projet du président contient une section sur la mise en cause de la conduite d'un citoyen. Pour répondre aux « nombreux députés et citoyens [qui] ont fait état de la nécessité d'établir des balises à l'encontre de l'adoption par l'Assemblée de motions susceptibles de brimer les droits des citoyens », ce projet propose deux options :

- la première interdirait la présentation, à l'Assemblée, de toute motion mettant en cause la conduite d'une personne autre qu'un député pour des paroles prononcées ou un acte accompli en dehors de l'exercice d'une charge publique, sauf en cas de violation de droits et privilèges ;
- la deuxième ferait en sorte qu'une telle motion ne pourrait être débattue sans que la personne ait d'abord eu la possibilité de se faire entendre par la commission de l'Assemblée nationale.

---

9. Le premier document, *La réforme parlementaire, cahier de propositions*, est déposé le 19 juin 2004 ; le second, *Réforme parlementaire, document de travail*, est déposé le lendemain.

L'idée était généreuse, mais, curieusement, comme le notait Yves Michaud, « ce développement majeur de l'Affaire n'a suscité aucun commentaire parmi la députation péquiste[10] ». Elle ne se concrétisera pas : les nouvelles règles adoptées en avril 2009, au terme de cinq ans de réflexion, ne retiendront pas ces dispositions[11].

Au chapitre des mesures réparatrices figure ensuite un projet de déclaration de Bernard Landry. C'est Yves Michaud qui en révèle l'essentiel lors d'une réunion de l'organisation de solidarité le 12 décembre 2004[12].

> Bernard Landry m'a informé il y a plus de trois mois qu'il préparait un texte ayant valeur de réparation pour le tort qui m'a été infligé par l'Assemblée nationale [...]. « Je le ferai, disait-il non pas en vertu de l'amitié qui nous lie, ni pour en tirer un quelconque avantage politique, mais parce qu'il s'agit d'un devoir de justice. » Une dizaine de jours après il m'en fit la lecture et j'en approuvai le texte. « Tu passeras l'éponge sur toute cette affaire », a-t-il ajouté sur une forme interrogative. J'acquiesçai.

---

10. Yves Michaud, « Une affaire qui ne sera jamais close », *Le Devoir*, 7 septembre 2004.
11. Évelyne Gagné, « La réforme parlementaire de 2009 », *Bulletin de la Bibliothèque de l'Assemblée nationale*, 38, 2, automne 2009, p. 4-6.
12. Texte publié sur le site de Vigile le 13 décembre 2004, http://www.vigile.net/Quatre-ans-apres-l-infamie-du-14. Voir aussi *Le Devoir*, 13 décembre 2004.

> Quelque temps après, il m'a relu le texte assorti de corrections mineures, et m'informa qu'il avait obtenu l'accord écrit de mes plus insolents contradicteurs, Sylvain Simard et André Boulerice, ce dernier coauteur avec Lawrence Bergman du Parti libéral de la motion scélérate. M. Landry a soumis le texte à plusieurs autres députés du PQ dont Jean-Claude St-André et Jean-Pierre Charbonneau.
>
> Le 8 novembre 2004, je rencontrai l'ancienne présidente de l'Assemblée nationale, Louise Harel, qui me dit d'avoir pris connaissance du texte écrit par le chef de l'Opposition et président du PQ et en être heureuse [...].
>
> Quelle ne fut pas ma stupéfaction d'apprendre lors d'un récent séjour à Québec qu'il renoncerait à rendre public le texte en question [...]. Des avocats de son entourage lui auraient conseillé de se taire prétextant que cela pouvait indisposer le juge qui a entendu ma requête en jugement déclaratoire sur l'inconstitutionnalité de la motion de blâme du 14 décembre 2000 [...].

Après le jugement de la Cour supérieure, les langues commencent à se délier.

C'est d'abord le député de Borduas, qui était président de l'Assemblée nationale le 14 décembre 2000, qui se confie à Robert Dutrisac : « J'ai bien peur que le tribunal va toujours reconnaître l'indépendance de l'Assemblée nationale et son autonomie entière. Mais ce n'est pas parce qu'elle a le pouvoir de le faire qu'elle devrait le faire et qu'elle ne s'est pas trompée », déclare Jean-Pierre Charbonneau, qui reconnaît que l'Assemblée a « agi de façon inacceptable », « intempestive ».

> Les députés qui agissent en collectivité ont parfois des comportements curieux, surtout quand ils agissent sur le coup de l'émotion. Et ç'a été le cas, a dit M. Charbonneau. On a fait un procès d'intention pour les mauvaises raisons[13].

Le député de Borduas entend revenir à la charge pour convaincre le caucus des députés du Parti québécois de reconnaître que les parlementaires ont mal agi en condamnant les propos de l'ancien député sur les communautés ethniques.

C'est ensuite au tour de Bernard Landry de publier son autocritique dans plusieurs quotidiens[14] le 26 février 2005.

Le chef de l'Opposition officielle donne son appui aux propositions déposées par le président de l'Assemblée nationale en juin 2004, une modernisation « fortement appuyée par l'ensemble des députés de l'Opposition officielle », qui favorisent sa mise en place le plus tôt possible.

> Avec la réforme proposée, cette motion [contre Michaud] aurait été soit irrecevable, soit soumise au

---

13. « Charbonneau à la défense d'Yves Michaud », *Le Devoir*, 15 janvier 2005.
14. « Une réforme nécessaire et attendue », *Le Devoir*, 26 février 2005. Aussi publié dans *Le Soleil* et *La Presse*.

débat uniquement après audition de la personne visée et le temps de réflexion requis, ce qui aurait radicalement changé les conditions du choix dans lesquelles se sont retrouvés les députés.

Ce jour-là, les circonstances ont desservi tout le monde puisque c'est en toute bonne foi et en voulant justement prendre ses distances[15] par rapport à une forme d'intolérance présumée que l'Assemblée elle-même a fait un geste qui n'était pas exemplaire au chapitre du respect d'autrui.

Les propositions de changement mises en avant se trouvent maintenant à consacrer et à confirmer après le fait, de par leur contenu même, qu'Yves Michaud n'a pas été traité comme il aurait dû l'être. En effet, en instaurant une réforme qui propose une façon de faire améliorée, on reconnaît de ce fait même que l'ancienne n'était pas adéquate.

Il est clair que les propos d'Yves Michaud visés par la motion ne violaient aucune loi, et il n'a d'ailleurs jamais été condamné ni même poursuivi, mais sa notoriété et ses états de service public exemplaires font que le geste de l'Assemblée nationale a un impact considérable. [...]

Il a son franc-parler, mais rien dans sa vie ne l'associe à des doctrines méprisables, bien au contraire. D'ailleurs, les mérites d'Yves Michaud ont récemment été reconnus par une instance neutre et

15. Autre euphémisme : l'Assemblée a *dénoncé* des propos sans exprimer son point de vue.

au-dessus de tout soupçon, le Conseil de l'Ordre national du Québec, qui lui a décerné le grade de chevalier. Michaud a refusé cet honneur. Il devrait peut-être se raviser. Ce serait une belle manière de mettre un terme à cette regrettable affaire dans l'honneur et la dignité[16].

En Cour d'appel

Michaud poursuit donc son combat devant les tribunaux, avec des appuis nouveaux recrutés par Solidarité Yves Michaud, dont l'Union des écrivaines et des écrivains québécois, la Centrale des syndicats du Québec et la Ligue des droits et libertés pour qui l'adoption d'une motion de blâme à l'égard d'un citoyen ou d'une citoyenne, par un organe législatif, « est une pratique qui va à l'encontre des principes de l'État de droit[17] ».

Le procureur d'Yves Michaud interjette appel du jugement de la Cour supérieure le 10 février 2005

---

16. Yves Michaud n'a pas changé d'avis sur cette décoration qui lui apparaissait d'autant plus un prix de consolation qu'il avait été fait *commandeur* de la Légion d'honneur.
17. Communiqué de Solidarité Yves Michaud, 7 mars 2005. L'organisation compte alors plus de 500 membres. En août 2003, Yves Michaud avait sollicité sans succès l'appui de la Fédération des journalistes professionnels du Québec (FPJQ), « principal organisme [québécois] voué à la préservation de la liberté d'expression ».

et, dans son mémoire déposé le 23 juin suivant[18], il pose six questions à la Cour d'appel[19] :

> Première question. — L'Assemblée nationale a-t-elle le pouvoir de réprimander une personne autre qu'un député qui n'est accusée d'aucune atteinte à un privilège parlementaire ?
>
> Nous proposons que non. La Cour supérieure n'a pas tenu compte de l'art. 324 du Règlement de l'Assemblée nationale, qui prévoit que, pour mettre en question par motion la conduite d'une personne autre qu'un député, il faut alléguer que cette personne aurait porté atteinte aux privilèges parlementaires. [...]
>
> Le blâme ou la réprimande est source de peine. Le pouvoir de le prononcer est un outil répressif qui ne doit pas être confondu avec la simple « expression d'une opinion » par l'organe de l'État qui le prononce. Le pouvoir de le prononcer est exorbitant, et doit être conféré en termes non équivoques par une règle de droit.

---

18. *Mémoire de l'appelant Yves Michaud : en appel d'un jugement de la Cour supérieure, district de Québec rendu le 13 janvier 2005 par l'honorable Jean Bouchard dans le dossier n° 200-17-004014-031. Yves Michaud, appelant (demandeur) c. Michel Bissonnette [sic] ès qualités [sic] de président de l'Assemblée nationale du Québec, intimé (défendeur)*, Sainte-Foy, Québec, Tremblay, Bois, Mignault, Lemay, [2005], iii, 289 p.
19. Les paragraphes 14 à 27, reproduits ici, présentent sommairement les questions qui sont développées dans la troisième partie du mémoire (argumentation).

Or aucune disposition de la loi ou du Règlement de l'Assemblée nationale ni aucun précédent en droit parlementaire ne suggère que l'Assemblée nationale puisse prononcer un blâme ou une réprimande contre une personne autre qu'un député en l'absence de toute atteinte aux privilèges. L'Assemblée ne peut revendiquer de privilège, puisqu'il n'est pas nécessaire qu'elle soit habilitée à prononcer de tels blâmes ou réprimandes pour exercer soit sa fonction législative, sa fonction de surveillance du pouvoir exécutif ou sa fonction de régir ses affaires internes sans ingérence extérieure.

Deuxième question. — L'Assemblée nationale, lorsqu'elle adopta la résolution du 14 décembre 2000, exerça-t-elle le privilège de la liberté de parole des députés ?

L'adoption de la résolution du 14 décembre 2000, même au moyen d'un vote par appel nominal, ne constitue pas l'exercice du « privilège de la liberté de parole des députés ». Il est bien établi en droit parlementaire que la liberté de parole est un privilège individuel et non un privilège collectif. Il s'agit d'une immunité contre toute poursuite en justice — civile ou pénale — qui appartient en propre à chaque député. [...]

Troisième question. — M. Michaud peut-il invoquer le statut de « simple citoyen » ?

Le 14 décembre 2000, M. Michaud est « une personne autre qu'un député » au sens de l'art. 324 du Règlement de l'Assemblée nationale.

Quatrième question. — La résolution du 14 décembre 2000 s'inscrit-elle dans la surveillance parlementaire du pouvoir exécutif ?

M. Michaud est retraité et n'occupe aucune charge publique. La surveillance du pouvoir exécutif ne permet pas à l'Assemblée nationale de blâmer ou réprimander un citoyen pour des propos tenus dans le cadre d'une vaste consultation publique, qu'elle soit ou non ordonnée par décret du gouvernement.

Cinquième question. — La Cour supérieure a-t-elle raison d'affirmer que M. Michaud, le 13 décembre 2000, a déploré la façon dont la communauté juive a voté lors du référendum de 1995 ?

Cette remarque, que l'on trouve au par. 12 du jugement de première instance, est manifestement erronée. L'extrait de la transcription P-1 cité par la cour pour appuyer cette remarque concerne l'intégration des immigrants, et non la « communauté juive ». Dans cette transcription, M. Michaud ne tient aucun propos pouvant être perçu, même de loin, comme une critique du peuple juif.

Sixième question. — La Cour supérieure peut-elle contrôler la mise en œuvre, par l'Assemblée nationale, de l'art. 21 de la Charte des droits et libertés de la personne ?

> L'art. 21 est d'une disposition quasi constitutionnelle, qui a une véritable valeur normative et qui doit recevoir une sanction. Son but consiste à reconnaître à toute personne un recours devant l'Assemblée nationale – la pétition – pour le redressement de grief. L'Assemblée doit aménager sa procédure afin d'examiner une pétition qui lui est adressée et statuer.

Le procureur de l'Assemblée nationale dépose ensuite son mémoire en septembre[20] et retient pour sa part seulement trois questions :

> Question 1 : Quel est le rôle des tribunaux lorsqu'un privilège parlementaire est revendiqué ?
>
> Question 2 : La Cour supérieure a-t-elle erré en concluant que le privilège de liberté de parole des députés peut trouver application ?
>
> Question 3 : La Cour supérieure a-t-elle erré en concluant que l'Assemblée nationale n'avait pas l'obligation de statuer sur la pétition du 13 décembre 2001 ?

L'audience a lieu le 20 février 2006. Les procureurs des deux parties reprennent essentiellement les argumentations précédentes. La Cour d'appel

---

20. *Mémoire de l'intimé [Michel Bissonnet] : en appel d'un jugement rendu le 13 janvier 2005 par l'honorable Jean Bouchard de la Cour supérieure du district de Québec, Yves Michaud, appelant (demandeur) c. Michel Bissonnet ès qualité de président de l'Assemblée nationale du Québec, intimé (défendeur)*, Québec, Langlois, Kronström, Desjardins, S.E.N.C.L., [2005], ii, 51 p.

prend alors l'affaire en délibéré en retenant seulement les deux questions analysées en première instance[21] :

1. L'Assemblée nationale a-t-elle outrepassé ses pouvoirs en adoptant la motion du 14 décembre 2000 ?

2. L'article 21 de la Charte permet-il à un tribunal de contrôler la mise en œuvre, par l'Assemblée nationale, d'une pétition déposée par un citoyen ?

Le 8 juin 2006, au nom des deux autres membres du tribunal, ses collègues Baudouin et Rochette, la juge Julie Dutil répond négativement à ces questions pour les motifs suivants :

> [47] L'Assemblée nationale exerce [...] non seulement des fonctions législatives et de surveillance, mais également des fonctions d'assemblée délibérante.
>
> [48] En l'espèce, les députés de l'Assemblée nationale ont exprimé collectivement une opinion en dénonçant les propos tenus par l'appelant dans le cadre d'une Commission établie par le gouvernement « pour étudier la situation et l'avenir du français au Québec ». L'assemblée s'est exprimée, par le biais

21. La Cour d'appel n'a donc pas répondu aux troisième, quatrième et cinquième questions de l'appelant, ce qui nous a notamment privés d'un autre éclairage sur les avis du juge de première instance concernant le concept de surveillance parlementaire du pouvoir exécutif.

d'une résolution unanime, sur un sujet d'actualité politique au Québec. L'appelant, pour sa part, a librement choisi de participer au débat public. L'assemblée agissait donc dans le cadre de ses fonctions.

[49] En conclusion, tant l'Assemblée nationale que ses membres ont exercé le privilège de la liberté de parole en adoptant, le 14 décembre 2000, la motion dénonçant les propos tenus par l'appelant lors de sa comparution devant la Commission le 13 décembre 2000.

[…]

[59] L'avènement de l'article 21 de la Charte n'a donc pas créé de droit nouveau. De plus, en l'absence de termes spécifiques contraires dans la Charte, cette dernière ne peut porter atteinte à un des privilèges parlementaires inhérents ayant pris naissance au Royaume-Uni puisque ces derniers bénéficient d'un statut constitutionnel.

[…]

[62] Le juge de première instance a donc eu raison de refuser d'ordonner à l'Assemblée nationale de statuer sur la pétition de l'appelant du 13 décembre 2001 puisque cela aurait porté atteinte à son privilège d'exercer un contrôle exclusif sur ses débats.

En conséquence, le pourvoi est rejeté.

La Cour d'appel n'aurait donc pas ajouté grand-chose au jugement de la Cour supérieure si un de ses membres, le juge Jean-Louis Baudouin, juriste de grande réputation, n'avait pas ajouté un grain de sel qui constitue un bémol inattendu :

> **Motifs du juge Baudouin**
>
> [64] Je suis d'accord avec l'analyse et les conclusions de ma collègue, la juge Dutil. Je ne peux cependant m'empêcher de penser que le Droit est ici devant un étrange paradoxe.
>
> [65] Pour préserver la démocratie parlementaire, et donc la libre circulation des idées, le Droit à l'époque des Chartes et de la prédominance des droits individuels permet qu'un individu soit condamné pour ses idées (bonnes ou mauvaises, politiquement correctes ou non, la chose importe peu), et ce, sans appel et qu'il soit ensuite exécuté sur la place publique sans, d'une part, avoir eu la chance de se défendre et, d'autre part, sans même que les raisons de sa condamnation aient préalablement été clairement exposées devant ses juges, les parlementaires. *Summum jus summa injuria* auraient dit les juristes romains !

Emprunté à Cicéron[22], l'adage latin cité par le juge Baudouin a été traduit de diverses façons : le comble du droit est le comble de l'injustice ; trop de droit tue la justice ; justice excessive devient injustice ; droit extrême, injustice extrême. Sous ces différentes versions, le sens général de l'adage est clair : on

---

22. Cicéron, *De officiis*, I, 10, 33.

commet souvent des injustices par une application trop rigoureuse de la loi : « le droit strict est la suprême injustice[23] ».

C'est ce que dit le juge Baudouin dans l'affaire Michaud : ma collègue a rigoureusement expliqué le droit mais, maintenant, où est la justice ?

Le jugement de la Cour d'appel suscite peu de commentaires dans les milieux politiques et dans les médias. Quelques quotidiens (*La Presse*, le *Journal de Québec*, *Le Soleil* et *Le Devoir*, ce dernier avec quelques jours de retard) rapportent brièvement la nouvelle mais seul *Le Soleil* mentionne en fin de texte le commentaire exceptionnel du juge Baudouin[24]. Yves Boisvert serait le seul chroniqueur à avoir commenté brièvement le jugement un mois plus tard, en plein été[25]. « Mieux qu'une victoire morale », écrit-il au sujet du commentaire du juge Baudouin, sauf que la classe politique est en vacances.

Le commentaire du juge Baudouin n'en constitue pas moins un baume pour Michaud et l'incite à poursuivre. « La Cour reconnaît l'injustice », clame Solidarité Yves Michaud[26] qui a fait une lecture attentive du jugement. En effet, la Cour rejette le pourvoi « pour les motifs du juge Dutil et du juge Baudouin, auxquels souscrit le juge Rochette ». Il

---

23. *Dictionnaire latin de poche*, Paris, LGF, 2000, livre de poche, 8533.
24. On ne trouve rien dans la *Gazette*.
25. *La Presse*, 7 juillet 2006.
26. Communiqué diffusé sur Vigile le 4 juillet 2006.

faut comprendre que le juge Rochette souscrit aux motifs du juge Dutil et à ceux du juge Baudouin. C'est l'opinion de Me Jean-C. Hébert : « Avec l'agrément du juge Rochette, le juge Baudouin a magnifiquement décrit l'étrange paradoxe du droit[27]. »

Conclusion : au moins deux juges sur trois ont conclu à l'injustice.

En Cour suprême

En septembre, le procureur d'Yves Michaud demande l'autorisation d'en appeler à la Cour suprême du Canada. Son mémoire du 11 septembre brasse à nouveau les arguments développés précédemment mais exploite évidemment les « motifs » du juge Baudouin :

> Peu importe que le style et les idées de M. Michaud suscitent la controverse, la résolution de l'Assemblée nationale du Québec qui blâme sa conduite illustre parfaitement, hélas, le paradoxe décrit par le juge Baudouin. Il faut admettre, cependant, qu'un tel paradoxe est la conséquence directe des conclusions juridiques du jugement de la Cour d'appel : la portée sans précédent en jurisprudence reconnue au privi-

---

27. Me Jean-C. Hébert, « Yves Michaud condamné par des "juges" en culottes courtes », *Le Journal (Barreau du Québec)*, septembre 2006. Autrement, il aurait fallu écrire : « pour les motifs de la juge Dutil, auxquels souscrit le juge Rochette, et ceux du juge Baudouin ».

lège parlementaire de la liberté de parole de même que l'interprétation restrictive donnée à l'art. 21 de la Charte des droits et libertés de la personne.

L'ancien premier ministre Bernard Landry évoque aussi le « paradoxe » dans une lettre ouverte[28] au président de l'Assemblée nationale qu'il invite à accélérer le processus de réforme :

> Comme vous avez mis en avant cette idée d'amendement depuis plus d'un an, pourquoi attendre l'avis du plus haut tribunal fédéral pour faire un geste dont vous avez compris qu'il était nécessaire avant même que la question lui soit soumise ?

De son côté, Me Jean-C. Hébert, un des rares juristes à se prononcer sur cette affaire[29], estime que « l'affaire Michaud semble faite sur mesure pour la plus haute Cour du pays » :

> Lorsqu'un privilège parlementaire donne ouverture à une injustice criante, plutôt que d'agir comme des « juges » en culottes courtes, les élus devraient plutôt modifier leur code de procédure. On l'a bien vu dans l'affaire Michaud, la puissance de juger expose à l'excès.
>
> Vu l'indolence actuelle des parlementaires, la Cour suprême serait justifiée de moduler la liberté d'expression (limitée) du citoyen et la liberté de

---

28. Bernard Landry, « Pour qu'il n'y ait plus d'affaire Michaud », *Le Devoir*, 13 octobre 2006.
29. Me Jean-C. Hébert, *loc. cit.*

parole (illimitée) des élus, la seconde flétrissant la première. Les principes fondamentaux ne sont pas simplement des icônes destinées à une vénération formelle, mais des ingrédients actifs qui inspirent le mouvement du droit. Certes, les privilèges parlementaires sont de vieilles idées utiles à notre démocratie parlementaire. Rien n'empêche toutefois de leur tailler des habits neufs.

Malheureusement, le 23 novembre 2006, on apprend que la Cour suprême refuse de se pencher sur la question.

> Je suis donc victime d'une suprême injustice, riposte Yves Michaud, et la Cour suprême du Canada n'en a cure. *The question shall not be raised* ! La question ne sera pas posée, nous dit-elle aujourd'hui, dans un superbe détachement qui confine au désintéressement d'une affaire qui concerne tous les citoyens et les citoyennes.
>
> L'histoire du monde est prodigue d'exemples dans lesquels la justice est dévoyée et l'innocence opprimée. Il est dommage qu'un autre de ces exemples s'ajoute ce jour à cette longue liste d'iniquités[30].

On a invoqué ensuite une démarche auprès des Nations unies, sans y donner suite.

---

30. Texte publié sur Vigile, http://www.vigile.net/Un-refus-affligeant-de-la-Cour.

Conclusion

Cela étant, même si, sur le plan juridique, les députés jouissent d'une immunité considérable dans l'exercice de leurs fonctions parlementaires, ils devraient toujours avoir à l'esprit les principes démocratiques fondamentaux qui gouvernent le fonctionnement de notre société. J'exprime donc formellement le souhait que tout député, lorsqu'il prononce une parole, dépose un document ou accomplit un acte dans le cadre des délibérations parlementaires, se soucie des droits fondamentaux de tous les citoyens et de toutes les citoyennes du Québec.

JEAN-PIERRE CHARBONNEAU,
président de l'Assemblée nationale, 13 novembre 1997

Quand il y a consentement entre les deux leaders pour les travaux de la Chambre, c'est automatique. […] De consentement, au niveau de la procédure parlementaire, au niveau du déroulement des travaux de cette Chambre, on peut tout faire. […]. M. le Président, […] quand bien même vous vous « effervesceriez » sur le banc, qu'est-ce que vous voulez que je vous dise ? C'est nous autres qui faisons fonctionner ou pas le Parlement.

GUY CHEVRETTE, leader du gouvernement,
s'adressant à un vice-président, 13 décembre 1994

Les gens qui ont des déclarations comme [celles de Michaud] à faire, ils sont mieux de les faire dans les intersessions.

Pierre Paradis, leader de l'Opposition officielle, Commission de l'Assemblée nationale, 30 août 2001

Il reste beaucoup de zones grises dans cette histoire. La genèse de la motion, par exemple, est restée nébuleuse. Il serait étonnant qu'elle soit née spontanément d'une rencontre fortuite au détour d'un corridor de l'hôtel du Parlement, mais on n'en saura pas plus à moins de faire témoigner ceux qui figurent comme auteurs au procès-verbal.

Ce n'était pas l'objectif de cet essai qui ne visait pas non plus, initialement, à prendre la défense des propos dits « inacceptables » d'Yves Michaud. À l'examen du dossier, toutefois, il est apparu trop d'imprécisions ou d'erreurs, sur les lieux et les circonstances, de citations hors contexte et d'interprétations injustes pour laisser passer, sans commentaires, tout ce qu'on a pu raconter dans les médias ou ailleurs. Si Robert Libman dit que « la parole de monsieur Michaud a été déformée de façon incroyable », il s'impose d'essayer d'expliquer *comment* mais surtout de se demander *pourquoi* ?

Les parlementaires se sont peu intéressés aux propos exacts de Michaud tout en prétendant, paradoxalement, qu'ils les avaient jugés inacceptables et qu'ils pouvaient les condamner sans que leur auteur soit touché personnellement. Drôle de chose que des propos dits ethnocentriques, xénophobes, racistes, voire antisémites qui auraient été prononcés par quelqu'un qui ne le serait pas ! Comme si Yves Michaud avait parlé des nids-de-poule ou de la température. Ou qu'il s'agissait d'une critique de théâtre.

À plusieurs égards, des parlementaires ont voulu, après coup, minimiser la portée de leur geste : l'Assemblée est un « forum parmi d'autres », elle a exercé son droit à la dissidence, pris ses distances, etc. Mieux encore, la motion du 14 décembre 2000 « n'emporte aucune sanction de la nature de celles imposées par un tribunal », écrivait le leader du gouvernement dans sa lettre du 18 décembre : c'eût été un moindre mal, car la peine aurait pu être purgée, voire éventuellement pardonnée.

> [...] compte tenu de la gravité du sujet, écrivait Lysiane Gagnon, cette dénonciation unanime, improvisée en catastrophe et dans l'émotion, aura des effets dévastateurs sur la réputation d'un homme à qui l'on n'a donné ni le bénéfice du doute ni même la chance de s'expliquer ; on ne sait même pas d'ailleurs exactement sur quelle déclaration M. Michaud est condamné[1].
>
> Peu importe ce que M. Michaud pourra maintenant dire, ajoutait Michel David, sa condamnation demeurera à jamais inscrite au procès-verbal. Il pourra s'égosiller à exiger réparation, ses chances

1. Lysiane Gagnon, *La Presse*, 16 décembre 2000.

> d'être entendu en commission parlementaire sont nulles [...]. Contrairement à ce qui s'était produit dans le cas de M. Parizeau, il n'y a pas de réhabilitation possible [...]. Après un lynchage, on ne peut que décrocher un cadavre, mais il peut devenir encombrant[2].

On ne compte plus les auteurs de reportages et de commentaires qui n'ont pas pris soin de mettre des bémols quand il s'agissait de qualifier les propos visés par la motion, de mettre des guillemets à « antisémites » ou d'ajouter qu'ils ont été « jugés » comme tels. Le B'nai Brith s'est bien gardé de « traiter M. Michaud d'antisémite » dans sa dénonciation du 12 décembre 2000, mais la Ligue des droits de la personne de B'nai Brith Canada a néanmoins inscrit l'affaire Michaud dans la section « Quebec Report » de son *2000 Annual Audit of Antisemitic Incidents* :

> The year 2000 in Quebec saw an extraordinarily sharp rise in antisemitic incidents. Beyond a large number of isolated incidents that commonly occur every year, such as a swastika painted on a business establishment that may have a Jewish affiliation, mailings of copies of antisemitic material to Jewish individuals [...], there were three predominant categories of events that characterized the incidents this year : white supremacy activity, Middle East

2. Michel David, *Le Soleil*, 16 décembre 2000.

related incidents, and the events surrounding the so-called Michaud affair[3].

Ainsi, l'affaire Michaud fait partie de l'histoire de l'antisémitisme au Québec !

* * *

Dix ans plus tard, Yves Michaud se trouve toujours sous le coup d'une motion de blâme sans précédent, les mesures de réparation demandées dans sa deuxième pétition n'ont pas été agréées[4], le règlement

3. Quelques observateurs ont écrit que le rapport annuel du B'nai Brith sur les incidents antisémites ne mentionnait pas l'affaire Michaud mais elle se trouve pourtant bien en vue dans le *2000 Annual Audit of Antisemitic Incidents* disponible sur le site de l'organisme (http://www.bnaibrith.ca/publications/audit2000/audit2000-04.html). B'nai Brith y expose évidemment sa version des faits. Ainsi, on avance que « Michaud's explanation as to why minorities vote against sovereignty was that they are either ignorant, filled with hatred towards Quebec or misunderstand », sans ajouter qu'il avait présenté ces trois explications comme des hypothèses et éliminé les deux premières. Selon le document, « unfortunately, Yves Michaud was given endless opportunity in the media, with minimal rebuke or opportunity for B'nai Brith to respond »...
4. Pour mémoire : « Que l'Assemblée nationale reconnaît que la mise aux voix de sa motion du 14 décembre 2000 concernant les propos tenus par Yves Michaud n'a pas été précédée du dépôt d'une transcription de tels propos ou de leur citation complète en séance plénière, de sorte que les députés ne peuvent exercer leur jugement sur la rectitude de tels propos avant de donner leur adhésion à la motion ; ou « Que l'Assemblée nationale déclare qu'il ne relève pas de son autorité ou de son pouvoir d'exprimer, en sa qualité d'institution, une opinion approbatrice

de l'Assemblée nationale n'a pas été amendé, les parlementaires croient toujours que leurs privilèges ne souffrent aucune restriction (en dépit de la Charte des droits), ont glissé l'affaire Michaud sous le tapis et attendent la prochaine contestation.

Dans un article publié en 2007 par *The Table*, la plus prestigieuse revue de droit parlementaire[5], Charles Robert et Vince MacNeil exposent les risques auxquels les Parlements s'exposent en laissant ainsi les privilèges évoluer au gré des poursuites devant les tribunaux. En premier lieu, si les parlementaires ne s'appliquent pas à délimiter eux-mêmes les privilèges, les juges pourraient bien le faire comme cela s'est produit dans la cause Vaid[6] où la Chambre des communes n'a pas pu faire reconnaître sa conception large des privilèges parlementaires. Deuxièmement, alors que les privilèges parlementaires se sont déve-

---

ou réprobatrice au sujet des propos d'un citoyen qui n'est pas membre de telle Assemblée. »

5. Charles Robert et Vince MacNeil, *loc. cit.* Robert est rattaché au Sénat à titre de greffier principal au Bureau de la procédure et des travaux de la Chambre ; MacNeil est consultant en recherche.

6. Un ancien chauffeur du président de la Chambre des communes ayant déposé des plaintes pour discrimination et harcèlement, la Chambre et son président ont contesté la compétence du Tribunal des droits de la personne, affirmant que le pouvoir du président d'embaucher, de gérer et de congédier les employés était protégé par un privilège et échappait de ce fait à tout examen externe. La Cour suprême a rejeté cette prétention (Canada [Chambre des communes] c. Vaid, [2005] 1 RCS 667, 2005 CSC 30).

loppés au cours des siècles comme un bouclier contre les interventions de la Couronne, leur utilisation comme une arme contre les droits des individus peut alimenter le cynisme du public et causer du tort à la réputation du Parlement[7].

Les auteurs illustrent la gravité de ce deuxième risque en invoquant justement l'affaire Michaud et l'affaire Wong[8].

> Both episodes put the basic principles of procedural fairness and natural justice directly at odds with parliamentary privilege. In both cases, the condemnations

---

7. Charles Robert et Vince MacNeil, *loc. cit.*, p. 22. Dans cet article écrit après mai 2007 et appuyé sur une analyse de l'affaire Michaud produite par l'Assemblée nationale au début de 2007, Robert et MacNeil n'ont pas mentionné le commentaire émis par le juge Beaudoin en juin 2006 sur le sujet précis qui les intéressait, soit les rapports entre les privilèges et la Charte des droits.
8. L'affaire Jan Wong ne se compare pas exactement à l'affaire Michaud car la journaliste n'a pas été formellement blâmée. Le 16 septembre 2006, à la suite de la fusillade au collège Dawson, Jan Wong écrit dans le *Globe and Mail* que les trois tueries en milieu scolaire survenues à Montréal ont été causées par le sentiment d'aliénation éprouvé par les immigrants ou les enfants d'immigrants au Québec, sentiment causé par la loi 101, et le racisme des Québécois « pure laine ». Le 20 septembre, la Chambre des communes adopte une motion unanime proposant « que des excuses soient présentées au peuple du Québec », excuses qui n'ont jamais été faites. De son côté, Jean Charest dénonce l'article dans une lettre ouverte le 20 septembre 2006, ce qui illustre bien les propos de son leader en 2001 : « Les gens qui ont des déclarations comme ça à faire, ils sont mieux de les faire dans les intersessions »…

> were made on the fly — without notice, without debate, without any real consideration, and without affording any procedural fairness or opportunity to answer the allegations. In addition, once these pronouncements were made, the media were free to repeat the condemnations with impunity.
>
> The parliamentarians in question seem to have proceeded in the confidence that their privileges override individual rights. This traditionalist view of privilege in Canada is widespread, despite the evolution of the law since the inception of the Charter. At some point, if assemblies persist in condemning individuals in this manner, there is a possibility that a clearly libellous resolution could be adopted[9].

Robert et MacNeil rappellent aussi que, dans l'affaire Vaid, le juge Létourneau exprimait la crainte « that the defence of an unbounded privilege may ultimately have the effect of bringing Parliament into disrepute[10] ».

⋆ ⋆ ⋆

Catalogué en compagnie des graffiteurs néo-nazis par B'nai Brith, Yves Michaud a vu sa réputation irrémédiablement entachée et tous ses efforts pour obtenir réparation ont échoué. À défaut de pouvoir s'enorgueillir de se trouver seul sur la liste des citoyens

---

9. Charles Robert et Vince MacNeil, *loc. cit.*, p. 22.
10. *Ibid*. Voir aussi Canada (Chambre des communes) c. Vaid, 2002 CAF 473 (2002), par. 33.

condamnés pour délit d'opinion dans l'histoire du parlementarisme en Occident, il lui reste l'estime d'un grand nombre de Québécois, la satisfaction de s'être tenu debout et une victoire morale en Cour d'appel, soit le commentaire percutant du juge Baudouin qui justifie à lui seul sa lutte acharnée.

Juriste de grande réputation, le juge Baudouin n'a pas l'habitude de s'épancher inutilement dans des jugements terminés par des points d'interrogation. En écrivant que Michaud a pu être « exécuté sur la place publique sans, d'une part, avoir eu la chance de se défendre et, d'autre part, sans même que les raisons de sa condamnation aient préalablement été clairement exposées devant ses juges, les parlementaires », il est allé aussi loin qu'il était possible pour passer un message à l'Assemblée nationale. En d'autres circonstances, il aurait pu être plus explicite : le 14 décembre 2000, l'Assemblée nationale abusa de son pouvoir sous l'action des partis politiques qui ont eux-mêmes abusé d'elle en l'utilisant pour éliminer un personnage encombrant. Les chefs ont convenu de la méthode, les soldats l'ont exécutée. « Je l'appuierai totalement, de même que toute la députation ministérielle, lorsqu'elle sera présentée tout à l'heure », a dit le premier ministre Bouchard au sujet de cette motion de blâme sortie d'on ne sait où. Tout le contingent majoritaire était dès lors compromis et ce n'est pas de l'autre côté de la Chambre qu'on aurait vu des dissidences. La motion contre Michaud illustre parfaitement comment la discipline partisane peut être à la fois aveugle et implacable.

Un député ministériel est sorti avant le vote, deux ou trois ont émis des regrets publics dans les jours suivants et plusieurs autres auraient fait part de leur « inconfort » en privé. Il a fallu ensuite attendre quatre ans avant de voir de plus grosses pointures reconnaître publiquement que le Parlement avait erré. Ce furent d'abord Jean-Pierre Charbonneau et Bernard Landry, respectivement président de l'Assemblée nationale et vice-premier ministre à l'époque. Un membre du cabinet Bouchard semble s'être ajouté récemment à cette courte liste de repentis. En effet, à la suite du tollé provoqué par les propos du cardinal Ouellet sur l'avortement[11], Joseph Facal a écrit :

> On a même évoqué une motion à l'Assemblée nationale, comme si l'affaire Michaud ne nous avait pas enseigné qu'il est périlleux, dans une société de libre expression, d'utiliser un parlement pour statuer sur des opinions individuelles.
>
> Pourquoi répondre à une opinion marginale par une telle démesure, une telle hystérie ? Pourquoi cette disproportion, cette émotivité, ces emportements qu'aucun danger imminent ne justifie ? Pourquoi cette incapacité à répondre sereinement ?[12]

---

11. *Le Soleil*, 18 mai 2010.
12. Joseph Facal, « Du calme », *Journal de Montréal*, 31 mai 2010. Plus chanceux que Michaud, et profitant peut-être de la mésaventure

Pourquoi, en effet? L'ancien député de Fabre occupait un siège assez près du jeu pour être en mesure de l'expliquer.

---

de ce dernier, le cardinal a été épargné. La motion de l'Assemblée nationale réaffirme «le droit des femmes au libre choix et à des services d'avortement gratuits et accessibles», sans condamner l'opinion du cardinal, une approche qui aurait permis d'éviter la crise de décembre 2000 si l'Assemblée nationale avait vraiment voulu seulement «prendre ses distances».

APPENDICE I

Le vote par appel nominal du 14 décembre 2000

(Extrait des *Débats de l'Assemblée nationale*)

Le Président : [...] que les députés en faveur de cette motion veuillent bien se lever.

Le Secrétaire adjoint : M. **Charest** (Sherbrooke), M. **Paradis** (Brome-Missisquoi), Mme Bélanger (Mégantic-Compton), M. Middlemiss (Pontiac), M. Bissonnet (Jeanne-Mance), M. **Vallières** (Richmond), M. Maciocia (Viger), M. Gobé (LaFontaine), M. Benoit (Orford), M. Laporte (Outremont), M. **Bergman** (D'Arcy-McGee), M. Williams (Nelligan), Mme Delisle (Jean-Talon), M. Gauvin (Montmagny-L'Islet), M. Brodeur (Shefford), M. **Béchard** (Kamouraska-Témiscouata), Mme **Houda-Pepin** (La Pinière), M. **Gautrin** (Verdun), Mme Lamquin-Éthier (Bourassa), M. Mulcair (Chomedey), M. **Fournier** (Châteauguay), Mme Loiselle (Saint-Henri–Sainte-Anne), M. Sirros (Laurier-Dorion), M. Bordeleau (Acadie), M. **Marsan** (Robert-Baldwin), M. Chenail (Beauharnois-Huntingdon), M. Lafrenière (Gatineau), M. Poulin

(Beauce-Nord), M. Pelletier (Chapleau), M. **Ouimet** (Marquette), Mme **Beauchamp** (Sauvé), Mme Jérôme-Forget (Marguerite-Bourgeoys), M. **Dupuis** (Saint-Laurent), Mme Leblanc (Beauce-Sud), M. **Kelley** (Jacques-Cartier), Mme **Normandeau** (Bonaventure), M. Copeman (Notre-Dame-de-Grâce), M. **Whissell** (Argenteuil), M. Cholette (Hull), M. **Marcoux** (Vaudreuil), M. Lamoureux (Anjou).

M. Bouchard (Jonquière), M. Brassard (Lac-Saint-Jean), M. Landry (Verchères), M. Legault (Rousseau), Mme Harel (Hochelaga-Maisonneuve), Mme Lemieux (Bourget), M. Brouillet (Chauveau), M. Léonard (Labelle), Mme **Marois** (Taillon), M. Trudel (Rouyn-Noranda–Témiscamingue), Mme **Maltais** (Taschereau), M. Arseneau (Îles-de-la-Madeleine), M. Cliche (Vimont), M. Jolivet (Laviolette), M. Ménard (Laval-des-Rapides), M. Bégin (Louis-Hébert), M. **Simard** (Richelieu), Mme Dionne-Marsolais (Rosemont), M. Julien (Trois-Rivières), Mme **Léger** (Pointe-aux-Trembles), M. Baril (Berthier), Mme **Beaudoin** (Chambly), M. Boisclair (Gouin), Mme Caron (Terrebonne), M. Facal (Fabre), Mme Goupil (Lévis), M. Chevrette (Joliette), M. Baril (Arthabaska), M. **Pinard** (Saint-Maurice), Mme Carrier-Perreault (Chutes-de-la-Chaudière), M. Rioux (Matane), M. Bertrand (Charlevoix), M. Lachance (Bellechasse), Mme Vermette (Marie-Victorin), M. **Gendron** (Abitibi-Ouest), M. Boulerice (Sainte-Marie–Saint-

Jacques), M. Payne (Vachon), M. Létourneau (Ungava), M. Beaumier (Champlain), Mme Charest (Rimouski), Mme Robert (Deux-Montagnes), M. Geoffrion (La Prairie), M. Laprise (Roberval), M. Beaulne (Marguerite-D'Youville), M. Jutras (Drummond), Mme Leduc (Mille-Îles), M. Pelletier (Abitibi-Est), M. Kieffer (Groulx), Mme **Doyer** (Matapédia), M. Lelièvre (Gaspé), M. Gagnon (Saguenay), M. Côté (La Peltrie), Mme Barbeau (Vanier), M. Dion (Saint-Hyacinthe), M. Morin (Nicolet-Yamaska), M. Simard (Montmorency), M. **Cousineau** (Bertrand), Mme Blanchet (Crémazie), M. Paquin (Saint-Jean), M. Désilets (Maskinongé), M. Duguay (Duplessis), M. **Bédard** (Chicoutimi), M. Côté (Dubuc), M. Bergeron (Iberville), M. Boulianne (Frontenac), M. Labbé (Masson).

M. Dumont (Rivière-du-Loup).

Le Président : Est-ce qu'il y a des députés contre cette motion ? Y a-t-il des abstentions ?

M. Paradis : Oui, M. le Président, est-ce qu'il y aurait consentement à ce que le député de Limoilou puisse se joindre à nous pour voter ?

Le Président : Alors, il y a consentement.

Le Secrétaire adjoint : M. Després (Limoilou).

Le Secrétaire : Pour : 109, contre : 0, abstentions : 0[1].

---

1. Note de l'éditeur : les noms en gras sont ceux des députés encore en fonction en 2010. Jacques Chagnon, Monique Gagnon-Tremblay et Norman MacMillan n'étaient pas présents lors du vote. Étaient aussi absents, du côté du Parti québécois,

les députés (8) Bertrand (Roger), Boucher, Deslières, Papineau, Paré, Rochon, St-André et Signori, et, chez les libéraux, les députés (3) Bourbeau, Cusano et Tranchemontagne. Le président Charbonneau n'a pas voté tandis que le siège de Mercier était vacant.

APPENDICE 2

Yves Michaud condamné par des « juges » en culottes courtes

(Texte de Me Jean-C. Hébert, publié dans *Le Journal (du Barreau du Québec)*, septembre 2006. Les notes sont de Me Hébert.)

En décembre 2000, Yves Michaud comparaissait devant la Commission des États généraux sur la situation et l'avenir de la langue française au Québec. Il traitait de la francisation des immigrants. Le lendemain, sans préavis, l'Assemblée nationale adopte une résolution rédigée dans la rage froide, dénonçant « de façon claire et unanime les propos inacceptables à l'égard des communautés ethniques et, en particulier, à l'égard de la communauté juive, tenus par Yves Michaud ». Coiffé du bonnet de l'âne raciste, Yves Michaud tente d'obtenir justice. Texte en main, il soutient que ses propos furent frelatés.

Ancien parlementaire, Denis Vaugeois fit écho au commentaire suivant de Robert Libman, directeur du B'nai Brith-Québec : « Depuis le déclenchement des événements, la parole de M. Michaud a été déformée de façon incroyable. Les gens l'accusent de minimiser l'Holocauste, alors qu'il n'a jamais fait ça. On l'accuse d'être antisémite. Moi je pense qu'il ne l'est pas[1]. » Pour sa part, l'éditorialiste Bernard Descôteaux croit que l'affaire Michaud repose sur le reproche « d'avoir banalisé l'Holocauste alors que ses propos consistaient à rappeler que le peuple juif n'était pas le seul à avoir souffert dans l'histoire de l'humanité[2] ».

Décriant l'abus parlementaire, Yves Michaud demande réparation à ses contempteurs. Au printemps 2002, le gouvernement annonce son intention de modifier les règles en vigueur. Reconnaissant que l'Assemblée nationale n'est pas un tribunal, le ministre André Boisclair propose d'interdire la présentation d'une résolution de blâme à l'encontre de quiconque n'est pas député, sauf dans le cas d'atteinte aux droits et privilèges du corps parlementaire. Il faudrait alors convoquer le fautif. Cette volonté de changer les règles parlementaires s'est dissoute en fin de session. Depuis lors, les élus se sont désintéressés de l'affaire.

De guerre lasse, Yves Michaud se tourne vers la justice. Tant en première instance qu'en appel, il perd sa cause. Évoquant les privilèges parlementaires assurant aux assemblées législatives le contrôle exclusif de leurs débats et aux députés la liberté de parole, le juge Jean Bouchard, de la Cour supérieure,

---

1. *Le Devoir*, 13 juillet 2006, p. A-7.
2. *Le Devoir*, 18 janvier 2005.

statue que la Loi constitutionnelle de 1867 empêche les tribunaux d'examiner l'exercice de ces anciennes prérogatives sous le prisme de la Loi constitutionnelle de 1982 (la *Charte canadienne*).

En juin dernier, la Cour d'appel[3] rejette le pourvoi de Michaud. Rédactrice de l'opinion longue du tribunal, la juge Julie Dutil rappelle l'origine et la raison d'être des privilèges parlementaires. Le préambule de la *Loi constitutionnelle* de 1867 intègre dans notre *Constitution* les mêmes principes que celle du Royaume-Uni. Or, parmi les privilèges spécifiques reconnus de longue date aux assemblées législatives, il y a la liberté de parole, protégée par une immunité judiciaire, et le contrôle exclusif d'une assemblée parlementaire de ses propres débats.

Selon l'enseignement de la Cour suprême (affaire Vaid[4]), un privilège parlementaire doit être étroitement et directement lié à l'exécution des fonctions d'une assemblée législative et délibérante. Cela comprend notamment la tâche des députés de demander des comptes au gouvernement. Le privilège a pour objet de refouler toute intervention externe susceptible de saper l'autonomie dont les députés, réunis en assemblée, ont besoin pour accomplir leur travail dignement et efficacement.

L'examen judiciaire d'un privilège parlementaire est limité à son existence et à sa portée – par

3. 2006 QCCA 775.
4. *Canada (Chambre des communes) c. Vaid*, [2005] 1 R.C.S. 667.

opposition à son exercice (affaire *New Brunswick Broadcasting Co*[5]). Dans ce corridor juridique étroit, la Cour d'appel a convenu que le mérite de la motion de l'Assemblée nationale échappait à son contrôle. « Il n'appartient pas au tribunal, a fait observer la juge Dutil, de juger ni de l'opportunité, ni de la justesse, ni de l'à-propos de celle-ci. » En somme, une Chambre d'élus peut accuser sans préavis, condamner par défaut et exécuter la peine, sans possibilité d'appel ! Au droit de parole des députés en Chambre s'attache une immunité absolue. Ils peuvent diffamer les citoyens, faire des procès d'intention et juger quelqu'un *ex parte* pour ensuite le fustiger publiquement. En vérité, la réputation et la dignité d'une personne vont de pair. Règle générale, la liberté de parole comporte des limites. On ne peut gratuitement piétiner la réputation d'autrui. Protégé expressément par la *Charte québécoise*, selon la Cour suprême (affaire Prud'homme[6]), ce droit participe de la dignité d'une personne, un concept qui sous-tend tous les droits garantis par la *Charte canadienne.*

Rien n'empêche le législateur de limiter la portée des privilèges parlementaires. Valable pour la société civile, un principe devrait prévaloir tant à l'intérieur qu'à l'extérieur des assemblées législatives. Avec l'agrément du juge Rochette, le juge Baudouin a

---

5. *New Brunswick Broadcasting Co. c. Nouvelle-Écosse*, [1993] 1 R.C.S. 319.
6. Prud'homme c. Prud'homme, [2002] 4 R.C.S. 663.

magnifiquement décrit l'étrange paradoxe du droit dans cette notation :

> Pour préserver la démocratie parlementaire, et donc la libre circulation des idées, le droit à l'époque des chartes et de la prédominance des droits individuels permet qu'un individu soit condamné pour ses idées (bonnes ou mauvaises, politiquement correctes ou non, la chose importe peu), et ce, sans appel et qu'il soit ensuite exécuté sur la place publique sans, d'une part, avoir eu la chance de se défendre et, d'autre part, sans même que les raisons de sa condamnation aient préalablement été clairement exposées devant ses juges, les parlementaires. *Summun jus summa injuria*, auraient dit les juristes romains !

Rappelons pour mémoire que les élus fédéraux ont sagement prévu (avec la Loi sur les enquêtes) que, hors de l'enceinte parlementaire, la rédaction d'un rapport défavorable ne saurait intervenir sans que la personne concernée n'ait reçu un préavis suffisant de la faute imputée et, surtout, sans avoir eu la possibilité de se faire entendre. Examinant cette loi, la Cour suprême (affaire Krever[7]) a convenu qu'une bonne réputation représentant la valeur la plus prisée pour la plupart des gens, il faut impérativement respecter l'équité procédurale dans les travaux d'une commission d'enquête.

7. *(P.G.) c. Canada (Comm. Krever)*, [1997] 3 R.C.S. 440.

Devant cette volonté clairement affichée du législateur fédéral de protéger la réputation des citoyens à l'extérieur du Parlement, comment les députés pourraient-ils légitimement, dans le cadre d'une simple résolution à la Chambre des communes, piétiner les principes d'équité garantis par la loi et célébrés par la Cour suprême ? Le même raisonnement vaut pour l'Assemblée nationale. Lorsqu'un privilège parlementaire donne ouverture à une injustice criante, plutôt que d'agir comme des « juges » en culottes courtes, les élus devraient plutôt modifier leur code de procédure. On l'a bien vu dans l'affaire Michaud, la puissance de juger expose à l'excès.

Vu l'indolence actuelle des parlementaires, la Cour suprême serait justifiée de moduler la liberté d'expression (limitée) du citoyen et la liberté de parole (illimitée) des élus, la seconde flétrissant la première. Les principes fondamentaux ne sont pas simplement des icônes destinées à une vénération formelle, mais des ingrédients actifs qui inspirent le mouvement du droit. Certes, les privilèges parlementaires sont de vieilles idées utiles à notre démocratie parlementaire. Rien n'empêche toutefois de leur tailler des habits neufs. À la réflexion, l'affaire Michaud semble faite sur mesure pour la plus haute Cour du pays.

Note bibliographique

CET ESSAI REPOSE principalement sur l'analyse des débats parlementaires, des jugements des tribunaux et des lettres, déclarations, opinions publiés par les acteurs de cette affaire et les commentateurs de toutes sortes dans les journaux ou sur le site Vigile (http://www.vigile.net/). De nombreux documents ont aussi été rassemblés sur le site du Marianopolis College, qui s'arrête cependant en 2001 (http://faculty.marianopolis.edu/c.belanger/quebecHistory/docs/michaud/index.htm) et sur celui de la page personnelle d'un utilisateur de Wikipedia (http://fr.wikipedia.org/wiki/Utilisateur:Mathieugp/Brouillons/Affaire_Michaud) qui se rend jusqu'au refus de la Cour suprême.

S'il existe une grande quantité d'articles produits au jour le jour par les journalistes affectés à la couverture des travaux parlementaires, il faut regretter que personne, à notre connaissance, ne se soit penché sur l'affaire avec un certain recul. L'entrevue de Georges Boulanger[1] avec Robert Libman est une

1. Dans *Voir*, 1er mars 2001.

exception ; dans la presse francophone, y a-t-il quelqu'un qui a essayé d'interviewer Lawrence Bergman ou André Boulerice, le sénateur Kolber ?

Quelques auteurs se sont intéressés à l'affaire Michaud lors de projets d'écriture plus vastes.

Rodrigue Tremblay, économiste, ancien ministre et professeur émérite de l'Université de Montréal, en a fait un chapitre intitulé « La censure et les délits d'opinion » dans *L'heure juste. Le choc entre la politique, l'économique et la morale* (Montréal : Les Éditions internationales Alain Stanké, 2002, 349 p.). Un autre professeur émérite de l'Université de Montréal, Guy Durand, juriste et théologien spécialisé en éthique, y a consacré quelques pages dans *Le pays dont je rêve. Regard d'un éthicien sur la politique* (Montréal, Fides, 2003). Enfin, *Un peuple et sa langue*, de Fernand Couturier (Lévis, Fondation littéraire Fleur de lys, édition électronique, 2004), comprend près de trente pages sur cette affaire que l'auteur traite sous l'angle de la langue et du nationalisme. Il va sans dire que ces auteurs ont tous trois condamné la motion du 14 décembre 2000.

Deux spécialistes de la procédure parlementaire attachés à l'Assemblée nationale, Michel Bonsaint et Hubert Cauchon, ont préparé un texte intitulé « Historique judiciaire et analyse de l'affaire Michaud », qui a été présenté à la Canadian Presiding Officers' Conference tenue à Charlottetown[2] en

2. « Michel Bonsaint, directeur général des Affaires parlementaires

janvier 2007. Malheureusement, il ne nous a pas été permis de consulter ce texte pourtant cité dans une revue parlementaire internationale[3].

à l'Assemblée nationale du Québec, et François Gendron, député et vice-président de celle-ci, ont présenté, sur l'"affaire Michaud", un exposé qui a abordé une importante question de droit parlementaire et traité de l'application de la *Charte des droits et libertés* aux assemblées législatives » (*Revue parlementaire canadienne*, 30, 1, printemps 2007).

3. Charles Robert et Vince MacNeil, *loc. cit.*

Index

Table des matières

CET OUVRAGE EST COMPOSÉ EN DANTE CORPS 12,5
SELON UNE MAQUETTE RÉALISÉE PAR PIERRE-LOUIS CAUCHON
ET ACHEVÉ D'IMPRIMER EN SEPTEMBRE 2010
SUR LES PRESSES DE L'IMPRIMERIE MARQUIS
À CAP-SAINT-IGNACE
POUR LE COMPTE DE GILLES HERMAN
ÉDITEUR À L'ENSEIGNE DU SEPTENTRION